Clérambard

Du même auteur aux éditions Grasset

VOGUE LA GALÈRE (théâtre)
LUCIENNE ET LE BOUCHER (théâtre)
LA TÊTE DES AUTRES (théâtre)
LES QUATRE VÉRITÉS (théâtre)
SILHOUETTE DU SCANDALE (essai)

Marcel Aymé

Clérambard

Bernard Grasset
PARIS

Marcel Aymé / Clérambard

Marcel Aymé est né à Joigny, dans l'Yonne, le 29 mars 1902. Dernier enfant d'une famille nombreuse, il perd sa mère à l'âge de deux ans et son père, maréchal-ferrant de son état, le confie à ses grands-parents maternels, petits industriels du Jura. Le village de Villers-Robert, partagé entre calotins *et* combistes, *où il vivra pendant huit années, va servir de décor à* la Jument verte. *Après la mort de sa grand-mère, en 1910, Marcel Aymé est recueilli par un oncle meunier, puis par une tante, employée de magasin, qui habite Dole. En 1912, il passe le concours des bourses au collège de Dole. Bachelier en 1918, il entre au lycée de Besançon dans la classe préparatoire de mathématiques spéciales, mais tombe gravement malade et se voit contraint d'abandonner ses études. Guéri, il accomplit son service militaire en Allemagne occupée. A son retour, il s'installe à Paris et devient tour à tour employé de banque, agent d'assurances, journaliste. En 1925, il fait une rechute. Les loisirs forcés que lui procure sa maladie lui permettent d'écrire son premier roman,* Brûle-bois. *En 1933,* la Jument verte – *chronique paysanne pleine de verve qui remporte un grand succès dû, en partie, au scandale que provoque sa truculence crue – lui permet de se consacrer entièrement à la littérature. Marcel Aymé écrit en moyenne un livre par an, des romans :* le Bœuf clandestin *(1939),* la Belle Image *(1941),* Travelingue *(1941),* le Chemin des écoliers *(1946),* Uranus *(1948); des recueils de nouvelles :* le Passe-muraille *(1943),* En arrière *(1950); un essai :* le Confort intellectuel *(1949).*

Parallèlement, il travaille à des adaptations cinématographiques, à des dialogues de films et il écrit une première pièce de théâtre, Vogue la galère, *qui sera représentée en 1947. D'autres pièces suivront :* Lucienne et le boucher *(1947),* Clérambard *(1950),* la Tête des autres *(1952), cinglante satire sur l'opportunisme politique.* La Convention

Belzébir, son ultime œuvre, est créée quelques mois avant sa mort, survenue en 1965.

Marcel Aymé fut non seulement un écrivain célèbre et lu, mais encore un véritable personnage du Paris littéraire. Cet anarchiste de droite (il fait campagne pour obtenir la grâce de Brasillach), flegmatique et taciturne, ami de Céline dont il est le voisin à Montmartre, vit à l'écart du monde et des modes qu'il tourne en dérision dans ses livres. Marcel Aymé est à la fois le défenseur des traditions et l'ennemi des conventions. Comme tel, la cible privilégiée de sa verve satirique est une certaine bourgeoisie parvenue dont la famille Galuchon de Clérambard *illustre le type. Son réalisme se combine parfois avec des éléments de surnaturel traités sur un mode mi-grave, mi-loufoque, où l'on peut voir l'expression d'un fantastique français. Mais ce surnaturel n'est pas gratuit, il est l'instrument d'une démonstration par l'absurde car Marcel Aymé est aussi – et peut-être* avant tout *– un moraliste.*

Le comte de Clérambard et sa famille vivent misérablement dans la demeure ancestrale hypothéquée et délabrée. Pour conserver cette demeure, Clérambard condamne sa femme, son fils et sa belle-mère à de véritables travaux forcés : fabriquer jour et nuit des pulovères *sur des métiers à tricoter. Pour se nourrir, le comte fait la chasse aux animaux domestiques. Un jour qu'il a tué un chien, saint François d'Assise lui apparaît et lui enjoint de se repentir. Dès lors, Clérambard tombe dans un excès contraire, protège les araignées et ne rêve plus que de parcourir les routes en roulotte pour propager la bonne parole. Son fils est fiancé à une héritière, il décide de le marier pour sa rédemption à la Langouste, une prostituée. A travers le brusque revirement de Clérambard dont la démesure, dans le mal comme dans le bien, est asociale, ce que Marcel Aymé dénonce, ce sont les vices d'une société dont l'idéal est la médiocrité, la retenue et les convenances. Fable tour à tour désopilante, émouvante et grinçante,* Clérambard *illustre à merveille cette duplicité de ton, alliant le drame et la comédie, qui donne au théâtre de Marcel Aymé une saveur singulière.*

ACTE PREMIER

Le décor représente une grande pièce dans l'hôtel particulier des Clérambard. Côté jardin, deux portes. Côté cour, une porte et une fenêtre, entre lesquelles est placé un bahut surmonté d'un portrait. Au fond, grande cheminée à hotte. Au premier plan, quatre métiers à tricoter. Fauteuils et canapé ont été repoussés vers le fond. Au milieu de la pièce, table basse sur laquelle sont entassés des pulovères.

SCÈNE PREMIÈRE

(La comtesse de Clérambard, sa mère Mme de Léré, son
fils Octave sont assis chacun devant un métier à tricoter et
travaillent. Le quatrième métier est inoccupé).

OCTAVE, s'arrêtant de travailler.

Je n'en peux plus. Je suis éreinté, abruti.

LOUISE

Octave, mon chéri, faites un effort. Je vous le
demande dans votre intérêt.

OCTAVE

Non, maman, je ne peux pas. Je ne vois même
plus mon tricot. Et puis, j'en ai assez. Et vous aussi,
toutes les deux, vous en avez assez!

Mme de LÉRÉ

Ah! mon pauvre enfant, moi j'en ai par-dessus
la tête!

OCTAVE

Alors? Vous voyez bien! Et si encore je mangeais
à ma faim! Il y a des moments où la tête me
tourne. Je suis sans forces. Non, vraiment, je n'en
peux plus!

LOUISE

Octave, votre père va rentrer et il est dans un
de ses mauvais jours. S'il vous surprend à flâner, il
fera encore une colère.

Mme de LÉRÉ

Ça, on peut en être sûr. Les colères, c'est ce que
ton mari réussit le mieux. Lui, au moins, il a cette
distraction. Sans compter le plaisir qu'il éprouve
à disposer de nous tous comme d'un bétail, parce
qu'enfin il ne s'en prive pas.

LOUISE

Soyez juste, maman, Hector se tue au travail.
Hier encore, il a veillé jusqu'à quatre heures du
matin. S'il est irritable, c'est qu'il est fatigué et
inquiet. Pensez à tous les soucis qui l'accablent,
aux menaces toujours suspendues sur sa tête et
sur les nôtres.

Mme de LÉRÉ

Ton mari a toujours été un être égoïste et brutal,
même quand vous étiez fiancés et qu'il avait encore
de quoi vivre à ne rien faire. Est-ce qu'il s'est
jamais comporté comme un fiancé? Est-ce qu'il a
jamais eu pour toi une attention, un mot de tendresse? Je suis sûr qu'il te témoignait moins
d'égards qu'à ses chiens et à sa jument.

LOUISE, irritée.

Vous oubliez que vous m'avez vous-même jetée
dans ses bras sans prendre mon avis. S'il était
l'homme que vous dites, pourquoi ne m'avoir pas
avertie alors? A présent, il est trop tard.... Mais
vous me faites dire des choses que je n'ai jamais
pensées, qui ne m'ont même pas effleurées, car
depuis près de vingt-cinq ans que nous sommes

mariés, pas une fois je n'ai regretté d'avoir épousé
Hector.

OCTAVE

Non, maman, ne vous reprenez pas. Vous aviez
raison tout à l'heure. Il est trop tard pour vous et
trop tard pour moi puisque j'ai eu le malheur de
naître, et de naître vicomte de Clérambard. Si je
n'étais pas le rejeton d'une aussi illustre famille,
j'aurais pu, au lieu de mener une vie de paria
dans cette demeure historique, devenir employé de
commerce, manger à ma faim, aller au café, au
cinéma... sortir! Ah! être commis de magasin...
valet de chambre... Etre employé du gaz!

(Bruit d'un pas à l'extérieur, Octave se remet au travail).

SCÈNE II

(Entre le comte de Clérambard, vêtu d'une vieille robe de
chambre et coiffé d'un melon).

CLÉRAMBARD

Je viens de tuer un chat. Je l'ai mis à la cuisine. On le mangera demain à midi.

(Il s'assied devant le quatrième métier et se met au travail).

Mme de LÉRÉ

Ah! Encore du chat! Ce sera le troisième que
vous nous aurez fait manger cette semaine. Vous
pourriez trouver autre chose pour soutenir votre
personnel.

CLÉRAMBARD

Vous êtes bien difficile, ma belle-mère. Pourtant M. de Léré, votre époux tant regretté, ne vous a pas habituée à une trop bonne chère. La preuve en est qu'il m'a fallu épouser votre fille sans dot. Oui, sans dot, sans un sou, sans même un trousseau ou une paire de draps!

Mme de LÉRÉ

Au moins n'avait-elle pas de dettes.

CLÉRAMBARD, il se lève et donne un coup de gueule.

Qu'est-ce que vous dites? Qu'est-ce que vous avez l'air de sous-entendre? Allons, parlez!

LOUISE

Hector... Nous sommes pauvres, c'est entendu, et pauvres n'est pas assez dire. Mais nous n'en sommes tout de même pas réduits à manger du chat.

CLÉRAMBARD

Vous êtes idiote, ma pauvre femme, comme toujours. Et pourquoi ne pas manger du chat? En 1457, mon aïeul Onuphre de Clérambard, assiégé dans la place de Blémont, a mangé du rat et du hibou. Et croyez, que s'il en avait eu à suffisance, il n'aurait pas capitulé!

LOUISE

Votre aïeul a été admirable, mais je pense qu'il ne faisait pas son ordinaire de rat ni de hibou. S'il s'est résolu à en manger, c'est qu'il était assiégé.

CLÉRAMBARD

Moi aussi, je suis assiégé! Le château de mes
pères a été vendu à l'encan, toutes mes terres y ont
passé. Et dans le vieil hôtel des comtes de Clérambard, où j'ai dû me replier avec les miens, je suis
assiégé par les créanciers, les huissiers, les porteurs
d'hypothèques. Je me défends pied à pied à force
de labeur, en espérant le miracle qui préserverait
cette demeure de l'injure de tomber dans des
mains étrangères. Pour sauver ces vieilles pierres,
j'ai vendu mes meubles, j'ai condamné ma famille
aux travaux forcés; devenu tricoteur, emballeur,
livreur, je suis encore le contremaître que vous
haïssez.

LOUISE

Voyons, Hector, vous savez bien qu'ici personne
n'a de haine contre vous et que vous pouvez au
contraire compter sur notre affection à tous.

CLÉRAMBARD

Demandez donc à ma belle-mère ce qu'elle en
pense. Demandez à mon fils!... Je sais de quoi je
parle et mes prisonniers, je les connais. Parfaitement, mes prisonniers. Couché à deux heures du
matin et levé à cinq, ce n'était pas assez d'être le
plus misérable des forçats, il m'a fallu être garde-
chiourme! Oui, garde-chiourme! Et vous voulez
m'empêcher de manger du chat?

Mme de LÉRÉ

Ah! Mangez donc du chat! Et mangez tout! Je
vous donne ma part.

CLÉRAMBARD

Et malgré tous mes efforts, je perds du terrain. La situation s'aggrave de jour en jour. Je n'en finis pas de boucher des trous, on me presse de tous les côtés et les créanciers se multiplient comme une portée de souris.

Mme de LÉRÉ

Je ne vous le fais pas dire. Si vous vendiez cette bicoque à courants d'air où il y a plus de place qu'il n'en faut pour cinquante personnes, nous pourrions enfin respirer.

CLÉRAMBARD

Cette demeure est dans ma famille depuis plus de quatre cents ans.

Mme de LÉRÉ

Est-ce que ça ne vous suffit pas? Il me semble que quand on possède une chose depuis quatre siècles, on doit en être fatigué.

CLÉRAMBARD

Du reste, si je la vendais, il ne me resterait pas, une fois les créanciers payés, de quoi nous faire vivre plus de six mois.

Mme de LÉRÉ

Six mois de vacances! Ah! Vendez-la sans tarder. Six mois de repos... de vraie vie.

CLÉRAMBARD

Silence! Ce n'est pas en rêvant qu'on travaille!

(*Octave s'affaisse sur son métier*).

LOUISE

Mon Dieu! Il se trouve mal! Octave!

Mme de LÉRÉ

Octave! Mon chéri...

CLÉRAMBARD

Restez à vos places! Je vous dis de rester à vos places, vous m'avez compris? Quant à Octave, je fais le nécessaire.

(*Il va à Octave, le redresse sur sa chaise et lui administre une paire de claques*).

CLÉRAMBARD

Ça va mieux? (*Pas de réponse. Nouvelle paire de claques*). Allons, au travail!

(*Octave se remet au travail. Clérambard se rassied*).

LOUISE

Oh! Hector! Vous n'allez pas l'obliger à travailler maintenant. Laissez-le se reposer.

CLÉRAMBARD

Je sais mieux que vous comment on doit s'y prendre avec lui. Octave est une nature indolente. Il a besoin d'être secoué.

Mme de LÉRÉ
Brute! C'est révoltant! Vous êtes une brute!

LOUISE
Hector, cet enfant est surmené. Le travail qu'il
fournit est au-dessus de ses forces. A chaque instant,
la tête lui tourne. Il tient à peine debout. Il est
épuisé.

Mme de LÉRÉ
Epuisé et écœuré, surtout. Comment ne le
serait-il pas? A vingt-deux ans, le pauvre petit n'a
guère à se féliciter de sa condition. Vous lui avez
fait la pire des existences, comme si vous vous
étiez juré de le punir de vos propres erreurs. Ce
grand nom de Clérambard, dont vous êtes si fier,
ne lui aura pas porté chance.

CLÉRAMBARD
A qui la faute, sinon à lui? Alors que j'étais déjà
pauvre, je me suis saigné aux artères pour qu'il
fasse des études. Je voulais en faire un officier.
Avec un nom comme le nôtre et un sabre au
côté, il aurait pu espérer un brillant mariage. Cet
imbécile n'a pas été fichu de passer son bachot.
J'ai voulu ensuite qu'il s'engage dans l'armée. J'espérais que pour l'honneur des Clérambard, il irait
se faire casser la tête dans une colonie. Le conseil
de revision ne l'a pas pris. Alors?

Mme de LÉRÉ
Il n'y a pas que le métier des armes. Si son père
l'avait aidé...

CLÉRAMBARD

Avec quoi? Vous oubliez qu'il n'est pas seul et que sur vos instances, j'ai accepté la charge d'une orpheline qui ne nous est rien. Car enfin, cette gamine n'est pour vous qu'une parente lointaine.

LOUISE

Elle est ma filleule.

Mme de LÉRÉ

D'ailleurs, Florence ne vous coûte rien. Mon amie Jeanne de Vermex l'a prise aux frais du couvent.

CLÉRAMBARD

Et le manque à gagner, vous ne le comptez pas? J'ai calculé que si j'avais neuf enfants travaillant au tricot pendant dix heures par jour, il ne me faudrait pas quatre ans pour libérer l'hôtel de toute hypothèque.

Mme de LÉRÉ

Le temps de les faire tous périr à la tâche.

CLÉRAMBARD

J'ai d'ailleurs l'intention d'écrire à la Supérieure du couvent pour que Florence nous soit rendue.

LOUISE

Mais pourquoi? Florence est mieux là-bas!

CLÉRAMBARD

En montant au grenier, je me suis aperçu que la toiture est endommagée. Il faut remplacer les tuiles et d'abord le latis. C'est une dépense à laquelle nous ne sommes pas en état de faire face. Je louerai un autre métier et Florence y travaillera pour assurer la réfection de la toiture.

LOUISE

Non, Hector, non!

CLÉRAMBARD

Comment, non?

LOUISE

Florence avait la chance de vivre loin de notre enfer. Allez-vous, pour quelques tuiles, condamner aussi cette enfant aux travaux forcés?

CLÉRAMBARD

J'y ai bien condamné mon fils! Croyez-vous que je l'aie fait de gaieté de cœur?

LOUISE

Pour une orpheline, nous sommes tenus de faire davantage que pour notre fils.

Mme de LÉRÉ

Elle est d'ailleurs trop jeune pour supporter les fatigues que vous nous imposez.

CLÉRAMBARD

Quand vous auriez raison toutes les deux et cent fois raison, je n'en serais pas moins obligé de me soumettre à la nécessité. La toiture doit être réparée. J'écrirai donc au couvent pour réclamer Florence.

Mme de LÉRÉ

C'est un attentat! C'est un meurtre!

CLÉRAMBARD

Silence, nom de Dieu! Soyez un peu plus **au** travail!

(Chacun travaille en silence. On frappe à la porte.)

CLÉRAMBARD

Entrez!

SCÈNE III

(Entre un curé).

LE CURÉ

Très poli

Pardonnez-moi, j'ai frappé en bas et, ne trouvant personne, je me suis permis de monter jusqu'ici.

LOUISE, elle se lève.

Vous avez bien fait, monsieur le Curé.

LE CURÉ

Madame la Comtesse... Madame... Monsieur le Comte...

CLÉRAMBARD

Bonjour. Vous restez longtemps?

LE CURÉ

Je m'excuse....

CLÉRAMBARD

prevent

Restez si vous voulez, mais n'empêchez pas les gens de travailler. Nous ne sommes pas ici pour entendre des exhortations ni des oremus. Si peu qu'il nous soit payé, notre temps est précieux.

LOUISE

Asseyez-vous, monsieur le Curé.

LE CURÉ

Merci. Encore une fois, je vous demande pardon...

LOUISE

Je vous en prie, monsieur le Curé. C'est très aimable à vous de passer nous voir.

Mme de LÉRÉ

Mon gendre est d'un abord si peu agréable que nous n'osons pas encourager les visites. Nous sommes d'autant plus reconnaissants aux personnes qui veulent bien se risquer jusqu'ici.

(On entend des aboiements. *C'est dangereux*
Clérambard tend l'oreille et se tourne vers la porte).

LE CURÉ

En tant que prêtre de la paroisse, je pensais depuis longtemps à vous faire cette visite. Comment se porte le jeune vicomte?

Mme de LÉRÉ

Très mal.

LOUISE

C'est-à-dire qu'il est un peu fatigué. Octave, monsieur le Curé, demande de vos nouvelles.

OCTAVE, dans un murmure.

Monsieur le Curé...

LE CURÉ, à Louise.

Je vois que vous êtes toujours très occupés.

LOUISE

Vous connaissez notre situation. Elle ne s'est pas améliorée.

LE CURÉ

Souvent, Dieu se plaît à éprouver celles de ses créatures qu'il a particulièrement distinguées.

Mme de LÉRÉ

Il est vraiment trop bon pour nous.

(Clérambard se lève et gagne la porte. Il sort).

SCÈNE IV

LE CURÉ

Peut-être le terme de vos épreuves est-il plus proche que vous ne pensez. Justement, je suis venu vous entretenir d'un projet. Puisque monsieur le Comte est sorti, je vais être plus à l'aise pour vous exposer la chose. Vous connaissez Mᵉ Galuchon, l'avoué de la rue Fantin?

LOUISE

Oui. Mon mari a eu affaire à lui.

LE CURÉ

Mᵉ Galuchon a trois filles. Il s'agirait de l'aînée.

LOUISE

Comment, de l'aînée?

Mme de LÉRÉ

Monsieur le Curé veut dire que l'avoué souhaiterait marier sa fille aînée à Octave.

LE CURÉ

Les Galuchon sont très riches. Je n'oserais pas citer un chiffre, mais le père de Mᵉ Galuchon, qui était un maquignon habile et réputé, avait amassé une très grosse fortune. D'autre part, Mme Galuchon était une demoiselle Cudenot, de l'épicerie en gros Cudenot et c'est tout dire. Ce sont donc

des gens fortunés. Excellents catholiques aussi.
Moralité irréprochable. Reste évidemment qu'ils
sont d'origine modeste. Le grand-père, je vous l'ai
dit, était maquignon. Reste aussi que la jeune fille
en question, bien qu'elle ne soit pas vraiment
laide, est assez loin d'être jolie.

LOUISE

Et pour la consoler de sa disgrâce, les parents
veulent en faire une vicomtesse?

LE CURÉ

C'est une jeune fille très bien élevée. Grosse dot
et des espérances du côté de son oncle le quincaillier. En outre, Mᵉ Galuchon laisse entendre qu'il
aiderait monsieur le Comte à libérer l'hôtel de
Clérambard de toute hypothèque.

Mme de LÉRÉ

Louise, il faut accepter. Peu importe l'avis de ton
mari, Octave est majeur, il n'a pas besoin du
consentement de son père. Ah! qu'il se marie!
qu'il parte! qu'il s'évade de ce bagne!

LOUISE

Accepter? Vous n'y pensez pas, maman. Alors, le
sang, la race, la naissance ne seraient qu'une mar-
chandise? J'aurais usé mes forces à des tâches
écœurantes pour nous maintenir dans ces murs où
s'inscrivent le nom et l'histoire des Clérambard et
j'accepterais qu'un avoué achète tout, le nom et
les murs, avec une poignée de billets? Non. Je ne

veux pas avoir souffert et manqué ma vie pour en
venir là. Si ces pierres doivent nous échapper, que
les créanciers nous les arrachent une à une et que
je périsse à la tâche sans avoir à soupirer sur la
vanité de mon calvaire.

Mme de LÉRÉ

Louise, pense à ton fils. Pense que tu tiens dans
ta main les clés de sa prison. Rends-lui la liberté.
(*Louise paraît hésiter*). Tu n'as pas le droit de
t'arrêter à des considérations de naissance, qui ne
sont plus rien dans la situation où nous sommes
réduits. (*A Octave*). Octave, qu'en penses-tu? Parle
franchement.

OCTAVE

Mariez-moi, grand-mère. Mariez-moi tout de
suite. Je veux m'en aller. Que ma femme soit
chauve, qu'elle soit borgne, édentée, elle sera toujours pour moi la plus belle et la plus adorable
des femmes si elle a pu m'arracher à mon existence
de damné. Je suis prêt à l'aimer de toutes mes
forces, mais qu'il se fasse vite, ce mariage, et qu'on
en arrête la date sans perdre une minute, car je
suis à bout de patience et de résistance.

LE CURÉ

On ne saurait être plus net.

LOUISE

Vous accepteriez d'entrer dans la famille des
Galuchon, vous, vicomte de Clérambard, et
d'avoir un oncle quincaillier?

OCTAVE

Mais, bien sûr, maman, puisque je ne tricote-
rais plus de pulovères. Que pensez-vous que soit
pour moi ce titre de vicomte que je porte dans
l'ombre? Peut-il être autre chose qu'une dérision
dans l'état de misère où je me trouve? Est-ce que
vous croyez que je n'entends pas ricaner les gens
sur mon passage et se moquer tout haut du
vicomte de Clérambard qui s'en va vêtu comme un
palefrenier ne voudrait pas l'être? Ah! Je vous
assure que j'ai bien souvent souhaité pouvoir
vendre mon nom et mon titre pour un complet
neuf ou un bon repas.

LOUISE

Vous... Je n'en reviens pas.

Mme de LÉRÉ

Je t'en conjure, ne ferme pas à Octave cette
porte de sortie. Pense aussi que ce mariage va permettre à ta filleule de rester au couvent et d'y passer deux années heureuses. Préfères-tu voir Florence ici, enchaînée à son banc de misère?

LOUISE

Vous avez peut-être raison... Mais non, vous
n'avez pas raison. Il vaudrait mieux dire, comme
Hector, que nous nous rendons à l'extrême nécessité. Mariez-vous donc, mon pauvre enfant, et puissiez-vous ne regretter jamais de vous y être résolu
dans un jour de découragement.

(Elle pleure dans son mouchoir).

LE CURÉ

Puisque vous êtes dans ces dispositions favorables, il ne reste plus qu'à convaincre monsieur le Comte. Demain dimanche, dans l'après-midi, M⁰ Galuchon et sa famille seraient heureux de vous faire une visite.

LOUISE

Qu'ils viennent.

LE CURÉ

Je m'en vais tout de suite porter la bonne nouvelle à M⁰ Galuchon qui n'attend pas sans une certaine anxiété le résultat de ma démarche.

SCÈNE V

(Entre Clérambard qui va s'asseoir à son métier).

CLÉRAMBARD

Le salaud! Je l'ai poursuivi jusqu'au grenier! Ses aboiements devaient s'entendre sur la place.

LE CURÉ

Mais... Vous parlez peut-être de mon chien. Je l'avais laissé en bas, au rez-de-chaussée, pour ne pas vous en encombrer. Est-ce que...

CLÉRAMBARD

Il est mort.

LE CURÉ

Oh! Par exemple! Mon pauvre Papillon! Mais comment la chose a-t-elle pu arriver?

CLÉRAMBARD

Je l'ai étranglé. Avec une corde.

(Rire muet).

LE CURE

Monsieur le Comte! Vous n'aviez pas le droit! Vous saviez que ce chien était à moi et, même si vous l'aviez ignoré, rien ne vous autorisait à le tuer. Je vous répète que vous n'en aviez pas le droit!

CLÉRAMBARD

J'en avais parfaitement le droit! Je suis chez moi, n'est-ce pas? et libre de faire ce que bon me semble à l'égard d'un intrus, surtout s'il s'agit d'une sale bête qui montre les dents. Mais si vous voulez tout savoir, je vous dirai que je l'ai tué pour mon plaisir! Ha! Ha! (*Il éclate de rire*). Pour mon plaisir! Et comme il est bien gras, je m'en vais le mettre au saloir.

LE CURÉ

Je vous l'interdis. Sa dépouille m'appartient!

CLÉRAMBARD

Eh bien! emportez-le, allez l'enterrer dans votre jardin de curé et qu'on n'en parle plus.

LOUISE

Hector! C'est indigne! Monsieur le Curé, je suis consternée!

Mme de LÉRÉ

Votre conduite est sans nom! Vous êtes un homme abominable! Vous me faites horreur!

CLÉRAMBARD

Assez! Et tout le monde au travail!

LOUISE, à mi-voix.

Monsieur le Curé, vous ne saurez jamais à quel point je suis affligée par la mort de ce malheureux chien.

LE CURÉ, à mi-voix.

Je comprends qu'un acte aussi sauvage vous atteigne personnellement.

(Il parle bas. Entre un moine vêtu d'un manteau à capuchon et qui vient droit à Clérambard sur le devant de la scène).

CLÉRAMBARD

Qu'est-ce que vous voulez, vous, encore?

LE MOINE

Je suis saint François d'Assise. Passant sur cette Terre, j'ai entendu les hurlements d'un pauvre chien à l'agonie et je suis venu voir ce qu'il en était. Pauvre bête, mais pauvre homme aussi. Comme je me trouvais dans votre grenier, j'ai voulu me faire connaître de vous. Je vous laisse ce livre qui vous parlera de ma vie. Quand vous l'aurez lu, pensez-y quelquefois et pensez surtout à vivre mieux que vous ne l'avez fait jusqu'ici.

(Ayant déposé un livre entre les mains de Clérambard, le moine sort).

CLÉRAMBARD

Qu'est-ce que ça signifie? Vous avez vu ce moine?

LE CURÉ, hargneux.

Non. Quel moine?

CLÉRAMBARD

Un moine vêtu d'un manteau. (*A Louise*). Vous l'avez bien vu?

LOUISE

Non. Il passait sur la place?

CLÉRAMBARD

Mais non. Il était... (*Clérambard se tait et regarde tout le monde d'un air inquiet. Puis il s'adresse à Mme de Léré*). Vraiment, vous n'avez pas vu un moine?

Mme de LÉRÉ

Vous avez rêvé.

CLÉRAMBARD, d'une voix mal assurée.

Mais non, je l'ai bien vu... (*Au curé, d'un ton menaçant.*) Je suis sûr de l'avoir vu.

LE CURÉ, effrayé.

Allons, il est temps que je me retire. Je vous souhaite le bonsoir.

LOUISE

Bonsoir, monsieur le Curé. Octave, reconduisez monsieur le Curé.

Mme de LÉRÉ

Je tiens à vous dire combien je suis navrée, monsieur le Curé. Je n'aurais pas été plus boule-versée s'il s'était agi de mon propre chien.

LE CURÉ

J'ai perdu là un bon compagnon et qui m'ai-mait bien.

OCTAVE

Croyez bien que, moi aussi, je suis désolé.

(Octave accompagne le Curé qui ouvre la porte. On entend des aboiements).

LE CURÉ

Papillon! Il est vivant! C'est lui! C'est mon chien! (*Aboiements*). Ah! monsieur le Comte, vous avez voulu me faire peur!

CLÉRAMBARD, l'air égaré.

Moi?

(Il se lève, court à la porte et, lentement, revient s'asseoir).

LE CURÉ

Ah! Je suis heureux! Oui, ma bonne bête, c'est ton maître. Oui, tu es content? Là, là... Je ne te quitterai plus...

(Aboiements. Octave sort derrière le Curé).

Mme de LÉRÉ

Ah! quel soulagement. J'ai cru mourir de confu-sion. Vraiment, gendre, vous avez des plaisante-ries d'un goût détestable.

SCÈNE VI

LOUISE

Vous paraissez abattu, tout d'un coup. Vous avez les yeux fiévreux et je vous trouve mauvaise mine. Seriez-vous malade?

CLÉRAMBARD

Malade... Oh! Non... Je suis plutôt...

LOUISE

Fatigué, n'est-ce pas? Vous voyez, ce n'est pas impunément qu'on travaille comme vous le faites. Il arrive un moment où l'on est à bout de résistance, physiquement et moralement. Nous en sommes tous plus ou moins là et il est temps de chercher à nos ennuis une solution pratique. Nous travaillons comme des mercenaires pour nous maintenir dans ces murs et il est clair que nous n'arriverons à rien si nous ne sommes pas aidés. Le curé venait justement de la part de Mᵉ Galuchon en vue d'un mariage entre Octave et l'aînée de ses filles.

CLÉRAMBARD

Oui... (*Silence*). Mais ce moine, vous l'avez bien vu? Il avait un livre à la main.

LOUISE

Quel moine? Je n'ai pas vu de moine. Pourquoi me parlez-vous toujours de ce moine?

CLÉRAMBARD

Un moine vêtu d'un grand manteau.

LOUISE

Où aurais-je pu voir un moine?

CLÉRAMBARD

Enfin, ce livre n'est pas venu ici tout seul. Vous le voyez ce livre, au moins?

LOUISE

Bien sûr. (*Elle lui prend le livre des mains*). Tiens, vous achetez des livres, maintenant?

CLÉRAMBARD

Moi? Quelle supposition! Vous pensez bien que je ne gâche pas de l'argent à acheter des livres. Du reste, je n'en ai jamais acheté. C'est justement ce que je vous dis. Ce livre n'est pas venu tout seul. Et le chien? Le chien du curé!

Mme de LÉRÉ, sèche.

Louise vous parle de l'établissement de votre fils. Vous n'allez pas revenir sur cette mauvaise plaisanterie qui n'a d'ailleurs amusé personne.

LOUISE

La fille est laide. Elle est née Galuchon, et sa mère s'appelait Cudenot. Cette demoiselle qu'on veut marier à Octave est la petite-fille d'un maquignon et d'un épicier. Oh! Je sais bien, Hector, il y a de quoi être accablé et je comprends votre surprise. Mais nous ne sommes pas dans une situation à nous montrer difficiles. La dot sera très importante et l'avoué libérerait l'hôtel de Clérambard de toute hypothèque. Pourquoi ne pas accepter?

CLÉRAMBARD, absent.

Pourquoi pas?

LOUISE

Vous pensez bien, Hector, que ce n'est pas sans un grand déchirement que je me suis résolue à envisager pour Octave la possibilité de prendre femme dans un pareil milieu. Vous m'écoutez?

CLÉRAMBARD

Quoi?

LOUISE

Où êtes-vous? Je vous disais...

Mme de LÉRÉ

Entrez!

SCÈNE VII

(Entre une femme de trente-cinq ans, la Langouste, vêtue avec une recherche canaille et portant une cuvette en fer).

LA LANGOUSTE

Bonjour, messieurs-dames... Répondez pas tous à la fois... Je répète : Bonjour, messieurs-dames.

Mme de LÉRÉ, ajustant son lorgnon.

Madame... A qui ai-je l'honneur?

LA LANGOUSTE

L'honneur! (*Rire*). On m'appelle la Langouste
parce que j'ai des taches de rousseur sur le ventre
Mon nom, c'est Léonie Vincent, mais le commissaire de police, lui, il dit la fille Vincent. Nuance.
Vous saisissez, madame de Tralala? Hier soir
encore, monsieur le Commissaire, il me l'a chan-
tée, la chanson des vaches. Une salope, il m'a dit.
Voilà ce que vous êtes... La honte de la ville!

Mme de LÉRÉ

Qu'est-ce qui vous amène?

LA LANGOUSTE

Je viens acheter un pulovère. On m'a dit que
vous aviez un petit modèle tout ce qu'il y a de
gentil et pas cher du tout.

Mme de LÉRÉ

Vous vous méprenez. Nous ne sommes pas des
commerçants. Nous travaillons pour nos bonnes
œuvres.

LA LANGOUSTE

Vous êtes sûre? On m'avait pourtant bien dit...

CLÉRAMBARD. à Mme de LÉRÉ.

Vous mentez. Nous ne travaillons pas pour nos
bonnes œuvres, mais parce que nous sommes dans
la misère.

Mme de LÉRÉ

Vous qui prenez ordinairement tant de soin de le cacher, je ne vous comprends plus.

(Mme de Léré tourne le dos à la Langouste. Clérambard ouvre son livre).

LA LANGOUSTE, s'avançant vers Louise.

Madame la Comtesse...

LOUISE, d'un ton froid.

Madame.

(La Langouste laisse tomber sa cuvette de fer et la ramasse).

Mme de LÉRÉ

Quel vacarme!

LA LANGOUSTE

Oh! Excusez-moi, madame la Comtesse. Je suis confuse. Vous allez me demander ce que je fais avec une cuvette.

LOUISE

Non, je ne vous demande rien.

LA LANGOUSTE

Figurez-vous, chère madame la Comtesse, qu'il m'est arrivé un ennui. J'avais dans ma chambre une cuvette en faïence posée à même le plancher. Il faut vous dire que chez moi, il n'y a pas de table. Vous savez ce que c'est qu'un ménage de jeune fille. On se monte petit à petit et il manque toujours quelque chose. Ma cuvette était donc par terre. C'est un détail, mais vous allez voir. Cet après-midi, j'avais chez moi un militaire, un jeune homme de bonne famille, vous savez, distingué, de l'éducation et une belle nature de soldat. Voilà qu'en remettant sa culotte, il trébuche, il pose le pied dans ma cuvette.

LOUISE
Je vous en prie, nous en savons suffisamment.

LA LANGOUSTE
Tout ça pour vous expliquer qu'il m'a fallu racheter une cuvette. Pour une femme élégante, c'est indispensable, n'est-ce pas? Aussi bien pour laver ses pieds, sa figure et son entresol que pour faire tremper son linge sale et ses épinards.

LOUISE
Hector!

CLÉRAMBARD, sursautant.
Quoi?

LOUISE
C'est insupportable. Nous ne sommes plus chez nous.

CLÉRAMBARD, à la Langouste.
Qu'est-ce que vous voulez?

LA LANGOUSTE
Acheter un pulovère.

CLÉRAMBARD
Qui vous a dit que j'en fabriquais?

LA LANGOUSTE

Une personne de vos relations qui me veut du bien. Discrétion, n'est-ce pas?

Mme de LÉRÉ

Je serais vraiment surprise que nous eussions des relations communes.

LA LANGOUSTE

Quand vous aurez mon expérience du mâle, chère madame, vous ne direz plus ça.

CLÉRAMBARD

Choisissez. Faites vite.

LA LANGOUSTE

Enfin, quelqu'un d'empressé. *(Elle pose sa cuvette sur une chaise).* Celui-là me plairait... C'est bien la forme que je cherchais, ça vous fait le pectoral coquin... Et le rouge, c'est la couleur de la Langouste. *(Elle mesure les épaules, les manches).* Il a l'air d'aller. Si je me retenais pas, je le mettrais tout de suite. C'est combien?

CLÉRAMBARD

Soixante francs

LA LANGOUSTE

Ah! Dites-donc! Soixante francs, rien que ça... Vous me direz, j'ai l'air distingué, ça je veux bien, mais chez moi, c'est tout en surface. Faudrait quand même pas me prendre pour une femme du monde.

CLÉRAMBARD

Trop cher? En voilà un à quarante.

LA LANGOUSTE

Il est trop moche.

Mme de LÉRÉ

Allez voir ailleurs. Vous verrez ce que vous aurez pour le prix.

LA LANGOUSTE

Je sais bien. Ah! c'est pas facile. Trop petit, trop cher, trop moche. Pour les purées, il y a toujours quelque chose en trop et ça n'est jamais dans la poche. Si le commerce était mieux fait, c'est le client qui devrait faire son prix.

Mme de LÉRÉ

Joli raisonnement.

LA LANGOUSTE

N'empêche que mon raisonnement, il tient debout. Les jours de marché, sur la place, il y a un couple qui s'installe au pied de la statue. Pendant que l'homme joue de l'accordéon, la femme chante dans son porte-voix. Là, c'est le client qui fait son prix. Vous donnez cinq sous, dix, vingt, trente et rien du tout si vous voulez. Vous restez là le temps qu'il vous plaît, personne ne vous chicane sur l'heure et, au bout du compte, les chanteurs ont fait leurs affaires.

Mme de LÉRÉ

Comme ils ne donnent rien, ils ne risquent rien.

LA LANGOUSTE

Ils ne donnent rien? Alors là, pardon. Les jours de marché, moi j'en rate pas une. Vous pouvez me voir au premier rang, presque à cheval sur l'accordéon. Je reste là une heure, des fois plus et quand je m'en vais, c'est toujours avec une chanson. Vous appelez ça rien? Écoutez la dernière :

> *I' m'surait un mèt' quatre-vingts,*
> *Il avait des petits yeux chafouins*
> *Où était écrit mon destin.*
> *I' m'a lâchée la s'maine dernière,*
> *Apprenant qu'j'allais être mère.*

Ça va, je veux pas vous attrister.

Mme de LÉRÉ, à Louise.

Nous avons de la chance. Je vais préparer le dîner.

LA LANGOUSTE

C'est ça.

(Mme de Léré sort).

LA LANGOUSTE

Payée ou pas, elle est à moi, ma chanson. Elle s'usera pas. Elle tiendra le coup mieux que vos pulovères. Personne ne pourra me la casser ni me la cabosser. (*Se touchant le front*). Je la range dans le placard, ma chanson, et je la retrouve quand j'en ai envie. J'en ai de toutes sortes, vous savez, et je leur laisse pas le temps de se rouiller. Des fois, pour me faire rire, je me mets à chanter :

> *Anatole, Anatole,*
> *Montre tes pistoles;*
> *Je serai ta Nana, ta Nana folle.*
> *Ta p'tite Nana, à Nanatole.*

Elle est drôle, hein?

LOUISE

Nous ne sommes pas au cabaret. Voyons, Hector, servez cette personne et finissons-en.

CLÉRAMBARD, tendant à la Langouste le pulovère de son choix.

Faites votre prix.

LA LANGOUSTE

Non, c'est vrai? Vous, alors... Vous me plaisez, je vous le dis. Ça fait du bien de penser qu'en France, y a encore du monde qui sait vivre. Les manières raglan, je peux vous en parler, ça devient rare!

LOUISE

Hector! Vous n'allez tout de même pas permettre à n'importe qui d'emporter notre travail pour une somme dérisoire?

CLÉRAMBARD, haussant la voix.

Faites votre prix.

LOUISE

C'est stupide.

LA LANGOUSTE

Bon. Trente-cinq francs, ça irait? (*Clérambard approuve de la tête*). Non, quand même, hein, c'est pas assez? Qu'est-ce que vous diriez de quarante francs? Tenez, je vais jusqu'à quarante-deux. Plus, je ne pourrais pas. (*Clérambard approuve*). Merci, dites. (*Elle prend l'argent dans sa poche*). Voilà quarante. Merci. Au revoir.

(Elle sort).

SCÈNE VIII

LOUISE

Vraiment, Hector, vous faites tout d'un coup bon marché de nos efforts et de notre peine. Et je pense que si vous vouliez faire le généreux avec quelqu'un, vous auriez pu choisir une autre personne que cette créature. J'ai entendu dire qu'elle se vendait aux soldats de la garnison pour cinq francs. Il n'y avait aucune raison de faire pour elle ce que vous n'avez jamais fait pour personne.

CLÉRAMBARD

Foutez-moi la paix! (*Plus doucement*). Allez aider votre mère. Et ce soir, vous vous reposerez. Nous ne travaillons pas après dîner.

(Louise sort en claquant la porte. Clérambard arpente la pièce).

SCÈNE IX

(Entre la Langouste).

LA LANGOUSTE

Excusez, j'avais oublié ma cuvette. (*Elle prend sa cuvette et se dirige vers la porte*). Salut! Et encore, merci, hein? (*En arrivant à la porte, elle se heurte à Octave qui rentre*). Ah! Mon Dieu! Un homme! Tout contre moi! Mais c'est affreux! Si mon fiancé l'apprenait! Et mes parents! Et mes amis! Et mes domestiques! J'espère que vous êtes un galant homme, que vous saurez vous taire.

(Elle rit).

OCTAVE, bafouillant.

Je vous demande pardon.

LA LANGOUSTE

Adieu, mignon.

(Elle sort. Un moment, Octave reste immobile, comme essoufflé, puis s'approche de son père).

OCTAVE, d'une voix entrecoupée de rires nerveux.

La Langouste... C'était la Langouste... Là, sur le seuil... Elle m'a parlé... Tout près de moi... Elle me regardait... C'était la Langouste...

CLÉRAMBARD

Qu'est-ce que vous avez?

OCTAVE, éperdu.

Elle était contre moi... J'ai senti sa cuisse... J'ai senti sa poitrine... (*Criant*). Sa poitrine!

CLÉRAMBARD

Allons, c'est bon, calmez-vous.

OCTAVE

Me calmer! Mais comment voulez-vous que je sois calme? Ah! si vous saviez!

CLÉRAMBARD

Eh bien?

OCTAVE

Il y a dix ans que je pense à cette fille, que je rêve d'aller chez elle, d'être à elle... J'étais encore un enfant... J'avais treize ans, douze ans... Je la rencontrais... Je connaissais sa maison, dans la ruelle aux Brebis... Je passais, je repassais, je respirais l'odeur de son couloir... Le soir, je n'arrivais pas à m'endormir... J'avais la fièvre... J'imaginais... J'imaginais... le diable sait ce que j'imaginais...

CLÉRAMBARD

Et maintenant?

OCTAVE

Rien n'est changé, sauf que je suis plus impatient, plus timide aussi, plus honteux. Elle a beau avoir dix ans de plus, j'y pense plus que jamais. Et j'imagine toujours... J'imagine à n'en plus finir! Tenez, hier encore, je suis passé par la ruelle aux

Brebis et devant chez elle, à l'entrée de son couloir, je me suis arrêté, une fois de plus. J'avais les
dents serrées, les jambes molles. J'étais glacé... (*Se
reprenant*). Allons, je suis stupide. Je ne sais pas
pourquoi je vous dis tout ça. Pour ce que ça peut
vous faire...

CLÉRAMBARD

Vous avez bien fait. Je suis votre père.

OCTAVE

Enfin, je vais épouser une des filles Galuchon. La
plus laide, mais c'est toujours ça. On travaille ce
soir?

CLÉRAMBARD

Non.

OCTAVE

Ah! Tant mieux. Tiens, un livre. *Vie de saint
François d'Assise*. Editions du Ciel. C'est vous qui
lisez ça? Je vous préviens. Pour vous qui n'aimez
pas lire, voilà un livre qui n'a rien d'attirant.

CLÉRAMBARD

Pourquoi?

OCTAVE

François d'Assise, si j'ai bonne mémoire, était ce
moine si débordant de charité qu'il aimait toutes
les bêtes même les plus sauvages, et s'en faisait
aimer.

CLÉRAMBARD

Vous êtes sûr?

OCTAVE

Mais oui, j'en suis sûr. Vous paraissez déçu. Évidemment, un récit de chasse ou un roman policier conviendrait mieux à votre humeur.

CLÉRAMBARD

Laissez-moi. Allez-vous-en.

(Octave sort. Clérambard prend le livre et s'assied. Le jour baisse).

SCÈNE X

(La nuit est presque faite. Assis à son métier, Clérambard tient le livre. Derrière lui, dans la hotte de la cheminée dont le manteau devient transparent, apparaît saint François d'Assise illustrant sa lecture).

CLÉRAMBARD

En 1182, naissait à Assise celui qui devait être saint François. (*Ramage d'oiseaux*).

LE MOINE

Fauvettes, coucous, mésanges, loriots, merles, rossignols, doux oiseaux, mes frères, quand je serai dans les villes, j'inviterai les hommes à venir vous voir dans vos bois. Je leur dirai qu'il ne suffit pas d'aimer son semblable et qu'il reste à aimer d'autres êtres si bons et si beaux qu'ils ont des voix de paradis et des ailes comme les anges de Dieu.

(Chant d'un merle).

LE MOINE

La forêt, c'est encore un peu du Paradis perdu.
Dieu n'a pas voulu que le premier jardin fût effacé
par le premier péché. Sur toute la surface de la
terre, il a semé des forêts profondes où le pécheur
puisse retrouver la bonne chance dans la compagnie des bêtes qui furent les témoins de son inno-
cence.

(Ramage d'oiseaux).

LE MOINE

L'odeur des racines, le frisson des taillis et les
chants des oiseaux endorment les puissances du
mal qui veillent au fond de notre pauvre cœur.
Dieu pousse même parfois la sollicitude jusqu'à
placer des bandits au détour des sentiers afin d'aider les riches à se décharger d'un fardeau trop
pesant pour marcher dans les voies du Seigneur.

(Chant d'un rossignol).

LE MOINE

Ah! On frappe à ma poche. C'est vous, ami
écureuil? Vous arrivez bien, petit frère. J'ai une
provision de noisettes. Ah! le rusé. Le voilà déjà
entré dans ma poche. C'est qu'il me chatouille!

(Le Moine rit aux éclats. Les oiseaux chantent. Hurlement
d'un loup).

LE MOINE

Ah! c'est le loup! Bonjour, mon frère, bonjour.
Tu parais bien malheureux. Allons, ne fais pas

cette figure lamentable, mon pauvre loup. Je suis au courant, tu viens encore de manger un agneau. Eh bien, de quoi t'affliges-tu? N'es-tu pas créé justement pour manger des agneaux? Cette nécessité qui vous pousse sur la proie, elle vous dépasse de loin, toi et ton espèce! Va, c'est l'ordre du monde et quand tu dévores un agneau, tu célèbres la gloire de Dieu, tu chantes sa force et sa bonté. C'est une chanson un peu rude à nos oreilles d'hommes, mais à celles de Dieu, elle n'est pas moins douce que le chant des oiseaux qui mangent des insectes.

(Le loup gémit doucement).

LE MOINE

Mon frère loup, tu n'as mérité aucune des malédictions qui t'accablent. Ecoute le chant des oiseaux. C'est le tien. Tes hurlements, c'est ainsi que Dieu les perçoit. Ecoute, loup...

(Le Moine disparaît. Ramage de tous les oiseaux. Clérambard poursuit sa lecture).

RIDEAU

ACTE II

Même décor qu'au premier acte, sauf que les métiers à tricoter ont disparu.

SCENE PREMIÈRE

(Louise et Octave achèvent de mettre en bonne place le canapé et les fauteuils).

LOUISE

Vous ne me direz pas que c'est naturel.

OCTAVE

Je ne vois pas qu'il y ait de quoi se tourmenter.

LOUISE

Tout de même, voilà près de vingt-quatre heures qu'il est enfermé à clé dans cette pièce et qu'il ne veut voir personne, entendre personne. C'est à peine s'il me répond par une parole d'impatience quand j'essaie de lui parler à travers la porte.

OCTAVE

Que voulez-vous, il passe son dimanche comme il l'entend.

LOUISE

Sans manger? Sans dormir?

OCTAVE

Je ne sais pas s'il a dormi. En tout cas, il a très bien pu, cette nuit, faire un tour à la cuisine.

LOUISE

J'admire que vous soyez si tranquille. Ainsi, vous n'avez pas la moindre inquiétude?

OCTAVE

Mais de quoi voulez-vous que je m'inquiète? Papa n'est pas perdu, puisqu'on sait où il est.

LOUISE

Vous ne vous demandez pas ce qu'il peut faire, seul dans cette pièce, ni ce qu'il médite, ni quelles circonstances l'ont amené à s'enfermer ainsi? Votre père n'est pas homme à jouer la comédie! On peut être sûr que s'il a éprouvé le besoin de faire une sorte de retraite, c'est que des raisons graves l'y ont poussé. Il a tant de soucis, tant de sujets d'inquiétude...

OCTAVE

Hier soir, quand je l'ai quitté, il se préparait à lire un livre.

LOUISE

Allons donc! Votre père a horreur de la lecture. Voyez-vous, Octave, je me demande si ce n'est pas la pensée de votre mariage qui l'occupe.

OCTAVE

Vous lui prêtez des sentiments de sollicitude qu'il ne m'a guère prodigués jusqu'à présent.

LOUISE

Hier soir, après le départ de monsieur le Curé, j'ai parlé à votre père de ce mariage Galuchon.

OCTAVE

Il était d'accord?

LOUISE

C'est-à-dire qu'il avait l'air de l'envisager avec résignation. Mais depuis, justement, il a pu se reprendre; en tout cas, hésiter. Ce sont peut-être ses scrupules qui le tourmentent maintenant.

OCTAVE

Qu'il se décide pour ou contre! Dans une demi-heure, les Galuchon seront là. Il faudrait pourtant savoir si papa est consentant ou si je dois me passer de son consentement.

LOUISE, après un silence.

Octave, sincèrement, est-ce que l'idée de ce mariage ne vous est pas trop pénible? Et pensez-vous pouvoir être heureux avec cette petite?

OCTAVE

Pourquoi cette question? Il est entendu que je ne fais pas un mariage d'amour. Je ne connais même pas la jeune fille, et le Curé ne nous a pas dissimulé qu'elle était laide.

LOUISE

C'est bien ce que je pensais. Ce mariage est pour vous le plus amer des sacrifices.

OCTAVE

Mais non! Pas du tout! Ah! comme vous êtes compliquée et que vous me connaissez mal!

LOUISE

Heureusement, nous n'avons fait aucune promesse, et rien n'est plus facile que de se dégager.

OCTAVE

Me dégager! Vous n'y pensez pas! Ecoutez, maman, je vous parle sans détour. Plutôt que de rester sous la coupe de mon père à mener une vie de chien, je serais encore heureux de m'échapper avec la première venue, même si elle était sans le sou, même si elle n'était pas jeune, même si... (*un silence*). J'espère maintenant vous avoir convaincue qu'il n'est pas question pour moi de faire un sacrifice.

LOUISE

Je veux vous croire.

SCÈNE II

(Entre Mme de Léré en tenue de ville. Chapeau à voilette baissée).

Mme de LÉRÉ, la mine bouleversee.

Mon Dieu! Ah! mes pauvres enfants! Si vous saviez! Non, c'est trop affreux! C'est trop épouvantable!

LOUISE

Maman! Que s'est-il passé? Voyons, je vous en prie... parlez!

Mme de LÉRÉ

Oui, je vais parler... Il faut me pardonner, mais... Non, je n'ose pas vous le dire.

LOUISE

C'est Hector, n'est-ce pas?

Mme de LÉRÉ. reniflant un sanglot.

Oui.

LOUISE

Il est mort! Mon mari est mort! Octave!

Mme de LÉRÉ

Mais non, qu'est-ce que tu vas supposer! Hector se porte comme le Pont-Neuf.

LOUISE, s'asseyant.

Ah! comme j'ai eu peur!

Mme de LÉRÉ

Ma pauvre chérie! Vraiment, j'ai été stupide. Si j'avais pu prévoir...

OCTAVE

Alors? Que s'est-il passé?

Mme de LÉRÉ

Ah! ce qui s'est passé... En rentrant des vêpres, j'ai pensé qu'Hector devait être encore enfermé; je suis donc montée par le petit escalier et, en passant devant sa porte, je me suis arrêtée. Je l'entendais aller et venir dans la pièce. J'ai d'abord frappé... une fois, deux fois... J'ai appelé : « Hector, vous êtes là? » Pas de réponse. J'ai crié : « Hector, puisque vous êtes là, répondez! » Alors, il m'a répondu...

LOUISE

Que vous a-t-il dit?

Mme de LÉRÉ

Il m'a dit... Non, je ne peux pas le répéter.

LOUISE

Il vous a expliqué pourquoi il s'était enfermé?

Mme de LÉRÉ

Non. Oh! non.

LOUISE

Il a peut-être parlé de sortir ou de rester encore?

Mme de LÉRÉ

Mais non. Il m'a dit... Ah! décidément... Je préfère le dire à l'oreille d'Octave. (*Elle vient à Octave et, tout bas, prononce un mot*).

OCTAVE, riant d'un petit rire quinteux.

Hin! hin!... Hin! hin!... Hin!... hin!

Mme de LÉRÉ

Tu peux rire, mon garçon.

OCTAVE, à Louise.

Rassurez-vous, ce n'est rien de grave. Une parole
d'impatience, simplement.

Mme de LÉRÉ

Ton mari se montre souvent grossier avec moi.
Tout de même, il n'était pas encore allé jusque-là!

LOUISE

Je le disais à Octave tout à l'heure, Hector est
très tourmenté. Il ne faut pas lui en vouloir. Mais
vous êtes rentrée très tôt?

Mme de LÉRÉ

Je ne suis restée qu'un quart d'heure à l'église.
Je voulais rentrer assez tôt pour avoir le temps de
préparer le thé à nos visiteurs. A propos, j'ai
aperçu la famille Galuchon aux vêpres. Et j'ai vu
l'aînée des trois filles. Ah! elle n'est vraiment pas
belle.

(Silence prolongé. Louise soupire. Octave a le regard fixe).

Mme de LÉRÉ

J'ai fait aussi une rencontre... une rencontre dont
je me serais passée... La Langouste!

OCTAVE

Vous l'avez vue? Où était-elle?

Mme de LÉRÉ

Au coin de la ruelle aux Brebis. Elle venait à
ma rencontre. Elle portait le pulovère rouge
qu'Hector lui a vendu hier.

OCTAVE

Il lui va bien?

Mme de LÉRÉ

Si tu crois que j'y ai pris garde! Elle marchait,
cigarette au bec, les poings sur les hanches, en se
dandinant... (*Tout en disant, Mme de Léré fait
quelques pas en se déhanchant*). Et voilà qu'en
arrivant à ma hauteur, elle me lance : « Alors, on
s'en va aux vêpres, toute seule avec son para-
pluie? »

OCTAVE

Ha!

LOUISE

Vous ne lui avez pas répondu?

Mme de LÉRÉ

Tu penses bien que non. Mais je suis devenue
toute rouge. Ah! quelle époque... Tiens... je vais
me déshabiller et préparer notre réception.

LOUISE

Je vais vous aider.

Mme de LÉRÉ

Mais non. A quoi bon?

SCÈNE III

(Entre Clérambard, robe de chambre et chapeau melon.
Mme de Léré le regarde de haut en bas, lui tourne le dos
et sort. Octave se lève et va s'appuyer au bahut).

LOUISE

Hector, vous voilà enfin. J'étais si inquiète...
J'essayais de deviner quel pouvait être votre état
d'esprit dans cette solitude que vous prolongiez...
J'imaginais vos soucis, votre tourment...

CLÉRAMBARD

Quels soucis? Quel tourment?

LOUISE

Hélas! Ils ne vous manquent pas. La maison, le
travail, les créanciers, une situation qui va s'ag-
gravant...

CLÉRAMBARD

Je n'ai même pas pris le temps d'y songer. Tout
ça est tellement dépassé!

avancé à un autre stade

LOUISE

Que voulez-vous dire?

CLÉRAMBARD

Je veux dire que j'ai d'autres affaires en tête et
d'une bien autre importance. Je me suis découvert
tout d'un coup des créanciers auxquels je n'avais
jamais pensé et qui ont pourtant fait preuve à

mon égard d'une très grande patience. Mais ces créanciers à qui je dois tout, j'ai hâte de leur payer mes dettes... bien qu'à vrai dire j'aie la certitude de ne pouvoir jamais m'acquitter envers eux.

(Il s'assied dans un fauteuil).

LOUÏSE, timidement.

Vous devez être affamé?

CLÉRAMBARD

Non, j'ai mangé.

OCTAVE, à Louise.

Qu'est-ce que je vous disais?

LOUISE

Vous savez que vous êtes resté enfermé près de vingt-quatre heures?

CLÉRAMBARD

C'est possible. Je n'avais plus la notion du temps.

LOUISE

Mais qu'est-ce que vous avez pu faire, seul pendant toute une nuit et tout un jour?

CLÉRAMBARD

J'ai lu. (*Un temps*). Et j'ai pensé.

LOUISE

Pensé? Mais à quoi?

CLÉRAMBARD

Vous ne comprendriez pas. Il vous manque d'être préparée à certaines évidences. Mais rassurez-vous. Je ne vous laisserai pas dans l'ignorance. (*Un temps*). Je ne laisserai personne ici dans l'ignorance. Et d'abord, vous lirez ce livre.

(Il tire le livre de sa poche et le montre à Louise).

LOUISE

Vie de saint François d'Assise. Editions du... du...

CLÉRAMBARD, d'une voix impatiente.

Du Ciel!

OCTAVE, prenant le livre que lui tend Clérambard.

Oui, c'est le livre que vous vous proposiez de lire hier soir. Alors, vous l'avez lu? Il ne vous a pas trop ennuyé? Une vie de saint, j'imagine que ce n'est pas des plus folichons.

CLÉRAMBARD

Imbécile! Malheureux imbécile! J'ai bien peur que vous restiez pour la vie et pour l'éternité l'individu indécrottable que vous avez toujours été. Puissé-je me tromper! Puissiez-vous, dans le troupeau des pécheurs, n'être pas un cancre obtus et paresseux comme vous l'étiez au lycée.

LOUISE

Soyez juste, Hector. En ces dernières années, Octave a beaucoup travaillé.

CLÉRAMBARD

Parce que j'étais là. (*A Octave*) : J'ai longuement pensé à vous, durant ces heures de solitude. J'ai pensé, entre autres choses, à votre salut. Je me suis demandé si je ne devais pas vous le faire faire à coups de pied au cul ou s'il était possible, malgré les apparences, d'éveiller votre âme à la vérité par des moyens mieux accordés avec ma tendresse de père. C'est ce que nous verrons par la suite. En tout cas, vous allez me faire le plaisir de lire ce livre aujourd'hui même.

OCTAVE

Je vous promets de le lire. (*Il pose le livre sur le bahut, duquel il s'éloigne vivement*). Maman! Une araignée! Là! sur le bahut!

LOUISE

Oh! elle est énorme! (*Elle avance la main pour se saisir d'un journal qui se trouve sur le bahut*). Je vais la tuer!

CLÉRAMBARD, calme.

Laissez cette petite bête tranquille!

LOUISE

Oh! je vous promets bien qu'elle ne m'échappera pas.

CLÉRAMBARD, il se lève, l'air menaçant.

Laissez cette petite bête tranquille, vous dis-je!

LOUISE

Mais qu'est-ce qui vous prend? Je ne vais pas la laisser courir sur le bahut, tout de même! Une araignée!

CLÉRAMBARD

Eh bien, oui, c'est une araignée... Et après? Est-ce que toutes les bêtes du bon Dieu n'ont pas le droit de vivre et de respirer? Je ne vois pas pourquoi vous écraseriez une araignée qui ne vous a rien fait. Si encore c'était pour la manger, je comprendrais. Il y a quelquefois des... des nécessités que nous... des nécessités qui nous dépassent. Mais ce n'est pas le cas. Alors?

Il certifie - un peu - ses actions avant.

LOUISE

Alors? Il me semble que la maison est suffisamment délabrée. Je veux au moins qu'elle soit propre.

CLÉRAMBARD

Tenez-la propre et laissez les araignées en paix.

LOUISE

Comme si c'était possible! Comme si une maison pouvait être propre avec des araignées qui courent sur les meubles! Il n'y a rien qui me dégoûte autant qu'une araignée.

CLÉRAMBARD

Ame vile.

LOUISE

Comment?

CLÉRAMBARD

Ame vile.

LOUISE

Hector! Comment pouvez-vous me traiter ainsi, moi, votre femme, et en présence d'Octave?

CLÉRAMBARD

Araignée, ma sœur, sois la bienvenue chez nous. Hier encore, je n'étais qu'un pauvre ignorant et j'aurais laissé ma femme t'écraser. Mais depuis, un peu de lumière du ciel est descendu dans mon cœur. Je sais maintenant ce qu'un homme doit de tendresse et de respect à toutes les créatures de Dieu. Non, tu n'es pas une bête répugnante. Ton corps a la forme d'un bel ovale. Tes longues pattes poilues sont finement dentelées. Tu es comme la fleur d'un fil de la Vierge. (*A Octave, sévèrement*) : Est-ce vrai?

OCTAVE

Mais certainement.

CLÉRAMBARD

Désormais, tu seras la joie de la maison et notre amitié en sera la douceur.

LOUISE

Ah! l'horreur! la voilà qui court sur le mur!

CLÉRAMBARD

Va, petite sœur, va. Tu es chez toi, libre d'aller
et venir à ta volonté. Ici, tu n'as pas besoin de
vivre cachée.

LOUISE

Ce serait pourtant prudent.

CLÉRAMBARD, il regarde sa femme sévèrement et se tourne vers l'araignée.

Ta vie m'est aussi précieuse que celle de ma
femme.

LOUISE

Je vous remercie, Hector. Voilà un compliment
agréable à entendre. Mais je voudrais bien savoir
pourquoi vous témoignez tout d'un coup tant de
sympathie aux araignées. Hier encore, vous avez
tué un pauvre chat qui ne demandait qu'à vivre.
Et ce chien qu'il y a huit jours, vous avez jeté
à l'eau après l'avoir égorgé sous les yeux d'Octave,
que vous avait-il fait? Je sais bien que vos instincts
de chasseur cherchent à s'assouvir comme ils le
peuvent. Mais puisque vous tuez si allégrement les
chiens et les chats, il est juste que vous me passiez
les araignées.

CLÉRAMBARD

Louise, j'attendais vos reproches, qui ne sont que
trop justifiés. Il est vrai que je suis une brute, un
tortionnaire, un tueur sadique tout éclaboussé du
sang des bêtes innocentes, et qu'hier encore je pre-
nais un mauvais plaisir à chasser, à tuer, à marty-
riser, à chercher dans le dernier regard de mes vic-
times l'affolement et le désespoir de la vie qui se

sent tout près de chavirer dans la mort. Oui, j'ai
tué des chats, j'ai tué des chiens, sans autre raison
vraie que celle d'assouvir d'infâmes instincts. Je ne
crois pas qu'un jour je puisse l'oublier. Mais je
vous demande de m'en faire souvenir à chaque
instant. Je n'ai jamais tué que de pauvres animaux,
mais je ne doute guère que j'aie été capable de tuer
des hommes, aussi bien, avec la même férocité. Que
dis-je? J'en suis sûr, puisque j'y ai déjà pensé.

LOUISE

Non, Hector, je ne vous crois pas.

CLÉRAMBARD

Je vous dis qu'il m'est arrivé d'y penser, et non
pas une fois. Ah! si vous saviez, Louise, quel homme
j'étais. Heureusement, j'ai trouvé hier mon chemin
de Damas. Désormais, je m'appliquerai à être
l'ami des animaux et à les défendre tous, quels
qu'ils soient.

LOUISE

Mon ami, vous tombez d'un excès dans l'autre...

CLÉRAMBARD, d'une voix dure.

Les araignées comme les autres, vous m'avez
compris? Ne doit-on pas défendre d'abord les plus
petits, les plus faibles?

(Long silence).

OCTAVE

Nos visiteurs ne vont plus tarder.

CLÉRAMBARD, attendri.

Elle est allée se nicher derrière le portrait. Peut-être qu'en ce moment, elle passe la tête en dehors du cadre pour regarder ce que je fais. Comme c'est charmant, ces petites bêtes!

OCTAVE

Vous savez que maître Galuchon et sa femme viennent nous faire une visite avec leurs trois filles?

LOUISE

Il est bon que vous soyez là pour défendre les intérêts d'Octave.

CLÉRAMBARD

Est-ce que ce projet de mariage est déjà très avancé?

LOUISE

Vous savez bien que non. Le Curé nous en a parlé hier pour la première fois.

CLÉRAMBARD

Tant mieux. Vous serez plus à l'aise pour faire comprendre aux Galuchon que ce mariage est impossible.

LOUISE

Ah! vous n'en êtes plus partisan? Prenez garde, Hector, de ne pas décider à la légère. Pensez à notre situation. Et qu'est-ce qui vous a fait changer d'avis?

CLÉRAMBARD

J'ai décidé qu'Octave épouserait la Langouste.

LOUISE

La Langouste! Allons, c'est une plaisanterie. (*A Octave*) : Votre père se moque de nous.

CLÉRAMBARD

Il ne s'agit pas d'une plaisanterie. Octave épousera la Langouste.

LOUISE

C'est vrai? Vous êtes sérieux? Voyons, Octave épouser cette fille... cette créature! Non, Hector, il n'est pas possible qu'une idée aussi absurde germe dans une tête raisonnable. Vous avez donc perdu tout sens commun, toute dignité?

CLÉRAMBARD

Je vous en prie, laissez là votre dignité.

LOUISE

Hier, ne l'avez-vous pas entendue dire elle-même que le commissaire de police lui a reproché d'être la honte de la ville?

CLÉRAMBARD

Voilà qui témoigne justement pour elle!

LOUISE

Le commissaire est, en effet, mieux placé que personne pour témoigner de sa vie scandaleuse. Du reste, la réputation de cette fille à soldats est faite depuis longtemps. Vous ne l'ignorez pas. Et quelle tenue. Quelle vulgarité! Il suffit de la voir et de l'entendre.

CLÉRAMBARD

Vous vous croyez peut-être supérieure à la Langouste?

LOUISE

Vous n'allez tout de même pas comparer la mère de votre fils à une prostituée?

CLÉRAMBARD

Parfaitement, une prostituée, une douloureuse et humble fille que ses malheurs rendent digne d'amour et de respect. Ce sera pour nous un honneur qu'elle consente à épouser ce grand dadais qui n'est sûrement pas digne de lui laver les pieds.

LOUISE

Hector! C'est de votre fils que vous parlez!

CLÉRAMBARD

Mon fils est un cornichon, mais c'est aussi un tombereau d'impureté. Mon fils est un tas de fumier. Comme moi, d'ailleurs. Comme sa mère.

LOUISE

Vous dites des choses révoltantes.

CLÉRAMBARD *noble de provinces*

Nous ne sommes que des hobereaux orgueilleux qui n'avons pas su préférer à une vaine gloriole les vraies richesses de l'âme.

LOUISE

C'est pour cette vaine gloriole que nous luttons tous depuis tant d'années, avec le courage du désespoir. Et voilà tout le cas que vous faites de nos efforts, de nos travaux et de nos peines. Non, Hector, il ne s'agit pas de gloriole, mais d'honneur et plus simplement d'honorabilité.

CLÉRAMBARD

Taisez-vous, femme frivole!

LOUISE

Pour arracher Octave à l'enfer de notre existence, je m'accommode à contrecœur d'une mésalliance avec la fille des Galuchon. Mais n'espérez pas que je compose pour lui faire épouser une catin!

CLÉRAMBARD

Dans son abjection, la Langouste est plus proche de Dieu que toutes les filles d'avoué du canton. Quand elle trousse humblement son pauvre jupon troué en prenant les cent sous d'un militaire, Dieu est là, tout près d'elle, et Il regarde son sacrifice avec bienveillance.

LOUISE

Hector, vous êtes stupide et vous êtes obscène.

CLÉRAMBARD

Sa misère et sa honte lui serviront de passeport
pour entrer au Ciel. Là-haut, la boue de son existence giclera autour d'elle en étoiles glorieuses. Et
vous, avec tout votre honneur et toute votre dignité,
je vous vois comme un gros abcès gonflé d'impureté, un énorme abcès qui se cache sous des par-
chemins et des couronnes de comtesse, mais qui
éclatera un jour, et ce jour-là, jour de colère, il
éclatera avec un gargouillement de pourriture
lâchée, et les anges du ciel se boucheront le nez
pour ne pas sentir votre puanteur.

LOUISE

Taisez-vous, c'est abominable. Vous n'avez pas le
droit de me traiter ainsi. Octave, défendez-moi!
Défendez votre mère!

OCTAVE

Calmez-vous, papa. Vous ne pensez pas ce que
vous dites.

CLÉRAMBARD

Vous aussi, Octave, vous êtes un abcès. Mais
vous aurez peut-être la chance d'avoir la plus
humble des épouses et de partager sa honte aux
regards de Dieu. Les gens vous montreront du
doigt en ricanant. Ils diront que vous avez épousé
une putain de la ruelle aux Brebis. On vous insultera. Et je compte bien qu'on nous insultera aussi.

OCTAVE

Vous avez l'air de vous en réjouir. Pour ma part.
je me passerais bien d'être insulté.

CLÉRAMBARD

L'humilité est l'antichambre de toutes les perfections. Et c'est justement ce trésor-là, Octave,
que la Langouste vous apportera en dot.

LOUISE

Assez de sottises. Essayez de retrouver un peu de
bon sens et pensez au bonheur de votre fils.

CLÉRAMBARD

J'y pense. Mon désir est précisément qu'Octave
vive selon son cœur, sans sacrifier à des intérêts
d'argent. Devrait-il. parce que nous sommes
pauvres, lier sa vie à celle d'une héritière pour
laquelle il ne saurait éprouver qu'un sentiment de
rancune? Non, Octave épousera la femme qu'il
aime.

LOUISE

La femme qu'il aime?

CLÉRAMBARD, à Octave.

Vous aimez la Langouste, n'est-ce pas?

OCTAVE

A vrai dire... Je me demande...

CLÉRAMBARD

Enfin, quoi, vous l'aimez.

OCTAVE, regard gêné vers Louise.

Je n'ai pas l'expérience qui me permettrait d'af-
firmer...

CLÉRAMBARD

Allons, c'est dit, je vais m'habiller et je descends
lui demander sa main. A quoi bon attendre?

LOUISE

Hector! Hector!

(Clérambard sort).

SCÈNE IV

LOUISE

Il y va, n'en doutez pas. C'est incroyable! Vous
avez vu de quelle ardeur insensée il s'employait à
prendre sa défense contre moi et à lui faire un
mérite de son ignominie? Avez-vous remarqué
aussi quel étrange regard il avait? (*Silence*). Eh
bien, tant pis! Si votre père a perdu la tête, moi
j'ai la mienne sur les épaules. Octave, vous épou-
serez la fille de l'avoué et vous vous passerez du
consentement de votre père. *Mon mari est
complètement fou.*

OCTAVE sans chaleur.

Hypocrite

Oui... (*Regard fuyant*). J'avoue avoir certain
scrupule à décider contre la volonté de papa.

LOUISE

Certain scrupule! (*D'une voix sévère*) : Octave!
Certain scrupule? Vous ne me dites pas la vérité.

OCTAVE

Mais si, je vous assure.

LOUISE

Octave, vous me cachez quelque chose.

OCTAVE

Mais non, je ne vous cache rien du tout.

LOUISE

Octave, vous connaissez cette fille.

OCTAVE

Moi? Où l'aurais-je connue? Je ne lui ai jamais adressé la parole.

LOUISE

Vous la connaissez.

OCTAVE

Comment voulez-vous que ce soit possible? Peut-être n'y avez-vous jamais pensé, mais je vis comme une bête de somme, sans même avoir un ami. Et vous en êtes à supposer que je peux entretenir des relations avec une femme.

LOUISE

Pourquoi votre père a-t-il affirmé que vous aimiez la Langouste? Et pourquoi ne l'avez-vous pas démenti?

OCTAVE

Vous savez bien qu'il n'accorde aucune attention
à ce que je peux lui dire, sauf s'il y trouve un prétexte à me houspiller. Dès lors, à quoi bon un
démenti? J'aurais d'ailleurs mal choisi mon moment. Aujourd'hui papa a des idées si saugrenues!
Voyez pour l'araignée... A-t-il fait assez de bruit
pour une simple araignée?

LOUISE

Au fait, je n'y pensais plus à cette araignée.
(*Elle va au bahut et y prend le journal*). Je viens,
petite sœur.

(Louise monte sur une chaise, déplace le cadre et donne
un coup sur le mur).

LOUISE

Je l'ai manquée. La voilà qui file sur le mur.
Mais je l'aurai.

OCTAVE

Attention, vous allez tomber.

LOUISE, descendant de sa chaise.

Elle est là sur la plinthe. Ah! je l'ai encore manquée! Elle court sur le parquet.

OCTAVE

Elle est affolée.

(Louise et Octave se mettent à quatre pattes).

LOUISE

Empêchez-la de se couler sous un meuble!

OCTAVE

Oh! A vous! Ne la tuez pas, surtout, je veux l'avoir vivante.

LOUISE

Cette fois... Ah! je l'ai!

(A genoux sur le parquet, ils se penchent sur leur prise).

OCTAVE

Attendez, je vais lui couper les pattes... J'ai justement mes ciseaux.

LOUISE

Mais non, pourquoi la faire souffrir? Tuez-la, ou ce qui est encore mieux, jetez-la par la fenêtre, tout simplement. (*D'un ton de reproche*) : Oh! Octave... Octave!...

OCTAVE

Je lui en laisse une, rien qu'une... Ah! regardez-la sur une patte! Regardez!

(Il éclate d'un petit rire de tête, saccadé, hystérique).

LOUISE, regardant son fils avec inquiétude.

Ne soyez pas si nerveux, mon chéri.

OCTAVE

Elle est si drôle! (*Il rit*). Plus qu'une patte... Elle est tordante... Vous la voyez bien?

LOUISE

Relevez-vous.

OCTAVE

Attendez, je lui coupe la tête. Ça y est... Hin! hin!... Hin! hin!...

(On entend des coups de marteau).

LOUISE

On frappe à la porte du bas. C'est la famille de l'avoué. Allez ouvrir, et faites-les monter tout doucement. Je vais remettre de l'ordre dans ma coiffure.

(Ils sortent par la porte du fond).

SCÈNE V

(Entre Clérambard par l'autre porte. Il est en manches de chemise, pantalon, bretelles, chapeau melon).

CLÉRAMBARD

Qu'est-ce qu'on a encore fait de mon bouton de col?... Personne? (*Souriant*) : Mais si... Il y a ma petite sœur l'araignée. (*Il voit le cadre de travers, le soulève*). On a touché au cadre... Est-ce que... Araignée, où es-tu? (*Il jette un coup d'œil circulaire, aperçoit le journal laissé sur le plancher*). Les brutes! Ils l'ont tuée... Malgré tout ce que je leur ai dit... (*Il se baisse*). Oh! ils lui ont coupé les pattes! Assassins! Tortionnaires! Bourreaux! (*Il rassemble sur le journal les débris de l'araignée*). Ma pauvre sœur, tu étais trop petite. Ils n'ont pas eu peur de ta faiblesse.

SCÈNE VI

(Entre Mme de Léré, qui jette sur le salon un regard de maîtresse de maison).

CLÉRAMBARD, levant la tête de sur son journal.

Vous faisiez partie de la bande, vous, bien entendu?

Mme de LÉRÉ

La bande? Avant de m'adresser la parole, commencez par me faire des excuses. Car je veux des excuses.

CLÉRAMBARD

Et moi, je veux savoir si vous avez prêté la main à l'assassinat de cette bête.

Mme de LÉRÉ

Quelle bête?

CLÉRAMBARD, lui mettant le journal sous le nez.

Cette bête-là!

Mme de LÉRÉ

Mais vous êtes dégoûtant! Qu'est-ce que c'est que ces rognures d'insectes et pourquoi me mettez-vous ça sous le nez? C'est écœurant.

CLÉRAMBARD, radouci.

N'est-ce pas? Ecœurant? Vous êtes de mon avis. Pardonnez-moi si je vous ai soupçonnée. Je suis sûr que vous êtes incapable d'un mouvement de cruauté.

Mme de LÉRÉ

Je ne vois pas ce qui aurait pu vous faire supposer le contraire.

CLÉRAMBARD

De nous tous, c'est peut-être vous la plus proche de Dieu. Je compte d'ailleurs faire quelque chose pour vous. Mais d'abord, il faudra bien vous mettre dans la tête que vous êtes un être impur, pétri d'orgueil et de mensonge, un misérable ver de terre, un répugnant scorpion.

Mme de LÉRÉ

Vraiment? Eh bien, moi, je vous tiens pour un mufle et un goujat!

CLÉRAMBARD

Vous voyez, vous en êtes encore à ne pouvoir supporter de vous entendre dire vos vérités, mais comptez sur moi! Je vous aiderai.

Mme de LÉRÉ

Allez plutôt vous habiller. J'entends venir nos gens et vous êtes à moitié vêtu.

CLÉRAMBARD, regardant les restes de l'araignée.

Quelle infamie, n'est-ce pas? (*Se dirigeant vers la porte*) : Pauvre petite sœur!

(Il sort).

SCÈNE VII

(Mme de Léré remet un siège à l'alignement des autres.
Louise entre la première, précédant Mme Galuchon. Vien-
nent ensuite les trois filles Galuchon, Me Galuchon et
Octave).

Mme GALUCHON

Je suis si contente... Et les petites se sont tant
réjouies. N'est-ce pas, petites?

LES TROIS FILLES

Oh! oui, maman.

LOUISE

Je n'avais pas encore eu le plaisir de rencontrer
ces jeunes filles. (*D'un ton froid*) : Elles sont char-
mantes.

Mme de LÉRÉ, à Mme Galuchon.

Bonjour, madame. Quel plaisir pour moi!...
Voilà donc ces jeunes filles que j'ai tant désiré
connaître!

Mme GALUCHON

Vous êtes trop bonne. Je vous présente Brigitte,
la plus jeune... Etiennette... Evelyne, l'aînée.

(Les trois filles font une révérence).

Mme de LÉRÉ

Charmée, mesdemoiselles... Elles sont exquises.

Mᵉ GALUCHON, à Mme de Léré.
Je vous présente mes hommages, madame.

Mme de LÉRÉ
Bonjour, maître.

LOUISE
Asseyons-nous.

(Elle s'assied dans un fauteuil, Mme Galuchon auprès d'elle. En face, Mme de Léré et Mᵉ Galuchon).

Mme de LÉRÉ, montrant un canapé aux jeunes filles.
Mesdemoiselles.

(Les jeunes filles s'asseoient. Octave reste debout).

LOUISE
Vous voudrez bien excuser mon mari. Ses affaires l'ont appelé en ville.

Mᵉ GALUCHON
Hélas! pour un homme actif, les journées ne sont plus assez longues. Il faut prendre sur ses dimanches. Moi-même, j'ai à cinq heures un rendez-vous qui va m'obliger à partir avant ma femme. C'est pourquoi, si vous le permettez, nous aborderons sans trop tarder l'affaire qui nous amène.

LOUISE
Volontiers. Octave, conduisez donc ces jeunes filles en bas, voir la salle du duel.

Mᵉ GALUCHON
Ah! la fameuse salle du duel!

LOUISE

Oui, on y voit encore l'endroit exact où, d'un coup d'épée, le vieux maréchal de Clérambard cloua contre la porte le baron de Malefroi qui l'avait provoqué. C'est une curiosité historique qui peut intéresser des jeunes filles.

Mme GALUCHON

Je crois bien! Les petites vont être ravies... (*Aux jeunes filles*) : N'est-ce pas?

LES TROIS FILLES

Oh! oui, maman.

OCTAVE, aux jeunes filles.

Si vous voulez bien suivre votre guide?

(Octave sort avec les filles Galuchon).

Mme GALUCHON

Le vicomte est plein d'enjouement.

Mme de LÉRÉ

C'est un garçon agréable. Il a surtout un caractère très affectueux.

SCÈNE VIII

Mᵉ GALUCHON

Monsieur le Curé nous a fait part du bon accueil que vous avez bien voulu faire à ses suggestions

De notre côté, nous ne sommes pas moins heureux
que vous à l'idée d'une union si bien assortie et
nous ne demandons qu'à faire le nécessaire pour
la voir aboutir. (*Un silence*). Evelyne apportera en
dot à votre fils un très joli domaine qui serait
pour nos jeunes mariés une agréable résidence.
Notez qu'ils vivraient tous les deux fort convenablement du revenu de cette propriété. (*Long
silence*). En outre, une somme de cent mille francs
compléterait la dot. Cent mille francs.

LOUISE

Maître, je regrette qu'hier soir, monsieur le
Curé ne nous ait pas précisé le chiffre de la dot.
Vous auriez ainsi évité un dérangement et une
discussion qui semble bien ne devoir pas aboutir.
J'en suis fâchée, mais votre proposition est tout
simplement dérisoire, pour ne pas dire désinvolte.

Mᵉ GALUCHON

Oh! madame... Désinvolte!

LOUISE

Vous ignorez peut-être que le nom de Clérambard appartient à l'histoire de France.

Mᵉ GALUCHON

Si j'ai été maladroit, ayez la bonté de me le pardonner. Je n'avais avancé ce premier chiffre de
cent mille francs que pour amorcer l'entretien.

LOUISE

J'ai toujours entendu vanter votre intelligence, votre probité et les sentiments de piété qui sont en honneur dans votre famille. C'est ce qui m'avait d'ailleurs prévenue en faveur de ce projet, mais nous voilà si loin de compte qu'il vaut peut-être mieux n'y plus penser.

M⁰ GALUCHON

Mais si! Je suis sûr que nous pouvons nous entendre. Voyons, quelles sont au juste vos prétentions?

LOUISE

Je ne vois pas qu'à moins d'un million, Octave puisse décemment faire de votre fille une vicomtesse de Clérambard.

Mme de LÉRÉ

C'est aussi mon opinion.

M⁰ GALUCHON

Un million! Grands dieux! Savez-vous bien ce que c'est qu'un million? Pensez-vous qu'il y ait rien au monde qui vaille d'être payé aussi cher? Madame, vous aviez raison. Il n'y a pas d'accord possible entre nous.

Mme GALUCHON

Ne nous décourageons pas si vite, Eugène. La comtesse n'aura pas dit son dernier mot.

LOUISE

J'aurais souhaité passer sous silence certains aspects de la question. Mais puisque vous m'y obligez, je vous rappellerai que ce mariage ne se présente pas comme la conclusion d'une idylle. Vous imaginez bien que ce n'est pas de gaieté de cœur que l'héritier d'un grand nom et d'une illustre lignée se prépare à cousiner avec des maquignons et des épiciers, si honorables soient-ils.

Mᵉ GALUCHON

A vrai dire, ces considérations de naissance n'ont pas, dans notre milieu, l'importance que vous leur accordez dans le vôtre. Pour nous, un titre de vicomte n'est guère autre chose qu'un ornement.

LOUISE

Dans ces conditions, il est décidément préférable que nous en restions là.

Mme GALUCHON

Mon mari s'est laissé aller à sa vivacité et ses paroles ont sûrement trahi sa pensée. N'est-ce pas, Eugène?

Mᵉ GALUCHON

C'est vrai, j'ai été trop vif et je ne songe pas à nier que l'aristocratie de la naissance m'ait toujours inspiré des sentiments d'estime. Mais un million, madame! Un million!

LOUISE

J'aurais voulu aussi garder le silence sur une vérité douloureuse, ne doutant pas qu'au cours de l'entretien, elle serait constamment sous-entendue. Mais enfin, vous avez bien l'air de n'y pas penser. Quand un homme choisit une jeune fille pour en faire sa femme, c'est qu'il a été sensible à certaines séductions qui ne sont pas toutes du cœur ni de l'esprit.

M⁰ GALUCHON

Je sais bien... je sais bien... N'oublions pas non plus que l'amour fait souvent des miracles.

LOUISE

Peut-être... Encore est-il nécessaire de créer les conditions du miracle. La promesse d'une compensation solide peut faire naître, en effet, dans le cœur d'un jeune homme un sentiment de reconnaissance à l'égard d'une jeune fille sans beauté et le conduire insensiblement à l'amour.

M⁰ GALUCHON

Je ne dis pas le contraire... mais un million!

LOUISE, à Mme Galuchon.

Maman vous le disait tout à l'heure. Octave est un jeune homme très affectueux.

Mme de LÉRÉ

Oui, c'est un enfant plein de douceur, de bonté... Il a toutes les délicatesses du cœur.

Mme GALUCHON

Voilà bien le genre de mari qui conviendrait à notre petite Evelyne... Eugène...

Me GALUCHON

Oui, bien sûr. Je ne demande qu'à m'entendre.. Si la comtesse voulait faire un sacrifice...

moins d'argent

LOUISE

Croyez bien qu'il est déjà fait. — *le sacrifice*

Me GALUCHON

Accordez-moi au moins une petite diminution .

(Louise a un mouvement de tête, marquant qu'elle est offensée).

Mme GALUCHON

Eugène...

Me GALUCHON

Allons, soit. Il faut en passer par où vous voulez, mais c'est dur.

SCÈNE IX

(Entrent les trois filles Galuchon et Octave)

Mme de LÉRÉ

Voilà nos enfants. Hé bien, vous avez vu la salle historique?

EVELYNE

Oui, madame. C'est vraiment très, très intéressant. Monsieur Octave nous a montré la grande

porte et l'endroit où l'épée du comte de Cléram
bard est entrée dans le bois. C'est émouvant.

(Elle s'assied sur le canapé avec ses deux sœurs)

Mme GALUCHON

Évelyne est une enfant très sensible.

Mme de LÉRÉ

Octave l'est aussi.

Me GALUCHON

Dans ce temps-là, on n'y allait pas de main
morte. Il devait y avoir par là-dessous quelque
affaire de jupon.

Mme GALUCHON, à mi-voix.

Eugène... (*Montrant les trois filles*). Voyons.

LOUISE, à Galuchon.

Détrompez-vous, il s'agissait d'une querelle poétique. Le baron de Malefroi, qui se piquait d'être
poète, ayant fait rimer rose avec prose, le maréchal
de Clérambard s'en était indigné et avait composé
l'épigramme que voici :

> *La rime qu'à rose*
> *Le baron impose*
> *Ne vaut, si j'en crois*
> *La simple raison,*
> *Faire Malefroi*
> *Rimer avec con.*

Mᵉ GALUCHON, riant.

Ha! Ha!...C'est bien ce que je disais. Dans ce temps-là, on n'y allait pas de main morte. Ha! ha! ha! Faire Malefroi rimer avec... Ha! ha!

EVELYNE

C'est adorable! Rimer avec con!

Mme GALUCHON, sévèrement.

Evelyne!... Ne lui en veuillez pas. Elle ignore absolument ce que signifie ce mot. Je puis vous le jurer.

Mme de LÉRÉ

Je n'en suis guère surprise. Soyez sûre que ma fille l'ignore aussi.

Mᵉ GALUCHON

La comtesse?... Ha! ha! ha!... Vraiment, vous ne savez pas... Ha ha!

(Long silence. Louise paraît gênée).

Mme GALUCHON

Evelyne s'est toujours beaucoup intéressée à la poésie.

LOUISE

J'adore la poésie. Je ne vis que pour la poésie!

Mme GALUCHON

Vous savez qu'elle écrit des vers délicieux, absolument délicieux.

EVELYNE. protestant.

Oh! maman!

Mme GALUCHON

Tenez, elle a composé dernièrement trois poèmes
que M. le Chanoine Laugier a trouvés très bons. Il
est pourtant difficile.

LOUISE

Je vous félicite, mademoiselle, et j'espère être
admise à entendre des vers aussi excellents.

Mme de LÉRÉ

Pour ma part, je suis impatiente.

OCTAVE, d'une voix maussade.

Moi aussi.

Mme GALUCHON

Evelyne, tu vas réciter ton dernier poème.

EVELYNE

Mais, maman, j'ai peur d'ennuyer.

Mme de LÉRÉ

Votre modestie est de bon augure

Me GALUCHON

Allons, mignonne, ne te fais pas prier davantage

EVELYNE, se levant.

Je vais réciter « Premiers beaux jours ».

(Elle tousse, puis récite).

Le printemps succède à l'hiver.
Voici fleurir la primevère
Et la modeste violette
Qui embaume les bois en fête.
Déjà les champs ont reverdi
Et les prés partout refleuri.
Naguère endormie, la nature
Revêt sa plus riche parure.
L'aubépine...

SCÈNE X

(Evelyne, s'interrompt. Clérambard, redingote et chapeau melon, vient d'entrer. Il s'arrête devant sa femme et, lentement croise les bras).

CLÉRAMBARD

Où est votre sœur l'araignée?

LOUISE, à mi-voix.

Voyons, Hector, vous n'allez pas, en ce moment...

CLÉRAMBARD, haussant la voix.

Où est votre sœur l'araignée?

LOUISE

Mais je ne sais pas, moi. Elle doit être derrière le cadre.

Me GALUCHON

Vous avez perdu quelque chose?

LOUISE

Non, ce n'est rien.

Mme de LÉRÉ

Mais qu'est-ce qui se passe?

CLÉRAMBARD

Elle n'est pas derrière le cadre.

LOUISE

Il faut qu'elle se soit cachée quelque part.

OCTAVE

Peut-être sous un meuble.

Mme de LÉRÉ

Mais enfin, de qui et de quoi parlez-vous?

CLÉRAMBARD, à Louise et à Octave.

Non, votre sœur n'est pas sous un meuble. Où est votre sœur?

LOUISE

Que voulez-vous que je vous dise? Je n'étais pas chargée de la surveiller.

Mme de LÉRÉ

Quelle sœur? On me cache quelque chose.

OCTAVE

Elle se sera tout bonnement échappée de la pièce.

CLÉRAMBARD

Non, elle ne s'est pas échappée. Et vous le savez bien, tous les deux, puisque vous l'avez tuée. Lâchement, sauvagement, après lui avoir arraché les membres.

LOUISE

Je vous en prie, Hector. A vous entendre, on croirait que nous sommes vraiment des meurtriers.

CLÉRAMBARD

Oui, vous êtes des meurtriers et des tortionnaires.

LOUISE

Toute cette histoire est grotesque.

CLÉRAMBARD

Non, elle est ignoble, elle est révoltante! Mais j'entends qu'une pareille abomination ne se renouvelle pas dans ma maison, et j'exige qu'avant quinze jours, il y ait au moins trois toiles d'araignée dans chaque pièce. Assassiner une créature innocente qui venait chercher asile sous notre toit! Deux monstres, voilà ce que vous êtes.

LOUISE

Pourquoi accusez-vous aussi Octave? C'est moi qui ai tué l'araignée, mais lui n'y est pour rien.

CLÉRAMBARD

C'est vrai?

LOUISE

Oui, c'est vrai.

CLÉRAMBARD

Octave?

OCTAVE, gêné.

En effet, je n'y suis pour rien.

CLÉRAMBARD

Ah! tant mieux, mon garçon. Vous m'ôtez un poids de sur le cœur. L'idée que, vous aviez pu assassiner cette petite bête me tourmentait beaucoup. Je vous trouvais tellement indigne d'épouser celle que vous aimez que j'avais presque renoncé à ce projet. Mais puisque vous êtes innocent, je vais pouvoir demander sa main. (*Sourire des Galuchon et frétillement d'Evelyne*). Tenez, je veux oublier un moment le crime de votre mère et ne plus penser qu'à ce mariage. Je veux me réjouir de voir entrer dans notre famille une épouse aussi admirable. (*Me Galuchon se lève, la main sur le cœur*). Les voisins nous diront : « Comment, vous mariez votre fils à cette putain? »

(Mme Galuchon pousse un cri. Louise s'empresse auprès d'elle).

Me GALUCHON

Monsieur, vous n'avez pas le droit de parler ainsi de ma fille

EVELYNE

Mais, papa, puisque monsieur Octave m'épouse.

CLÉRAMBARD, à Octave.

Vous n'avez donc pas mis ces personnes au courant?

OCTAVE

Comment voulez-vous?

CLÉRAMBARD

Madame, et vous, monsieur, pardonnez-moi. Vous avez pu croire que je parlais de cette jeune demoiselle, mais c'est un malentendu. J'ai pour Octave de grandes ambitions et j'ai visé pour lui plus haut que votre fille.

Mme GALUCHON

Par exemple! Nous faire cet affront!

(Louise l'apaise).

CLÉRAMBARD

Encore une fois, je vous demande pardon. (*A Octave*) : Soyez tranquille, je vous promets de plaider votre cause autant qu'il est possible

(Il se dirige vers la porte).

RIDEAU

ACTE III

Une pièce aux murs passés à la chaux. Au fond, un lit de fer, étroit. A gauche, un petit poêle de fonte à très long tuyau. A droite, escalier de trois marches accédant à la porte et, plus loin, une fenêtre étroite. Deux chaises, une cuvette de fer et un buffet bas, en bois blanc, complètent l'ameublement de la Langouste.

SCÈNE PREMIÈRE

(La Langouste est assise sur le lit. Un dragon en manches
de chemise et culotte rouge, boucle ses houseaux. Sur une
chaise sont posés sa tunique, son sabre, son casque à cri-
nière).

LE DRAGON

J'ai senti qu'avec cet homme-là, on allait s'entendre. Ça n'a pas traîné. Buzard et moi, on est
tout de suite tombé copains. Il me dit : Alors?
Moi, je lui dis : Alors?

(Il rit).

LA LANGOUSTE

Habille-toi vite.

LE DRAGON

Remarque bien, Buzard, je le connaissais déjà.
Avant d'être là, il était au deuxième escadron,
mais je le connaissais. Je savais même qu'il s'appelait Buzard.

LA LANGOUSTE

Donne-moi une cigarette

LE DRAGON

Je peux pas. J'en ai plus que trois. Buzard, je
ne mens pas. Je connaissais Buzard, mais dire
qu'on était des copains, c'est pas vrai. On se
connaissait, quoi.

LA LANGOUSTE

Tu nous endors, avec ta berceuse.

LE DRAGON

Quoi?

LA LANGOUSTE

Je dis que tu nous endors.

LE DRAGON

Attends, tu vas voir... Tiens, tu voudrais pas me tenir le bout de ma ceinture?

LA LANGOUSTE

Non, mais, dis, tu me prends pour ta femme de chambre, maintenant?

LE DRAGON

Oh! je te demandais ça... Je vais l'attacher au pied du lit.

LA LANGOUSTE

C'est bon. Je vais la tenir.

(La Langouste prend dans sa main une extrémité de la longue ceinture de flanelle bleue, dans laquelle le dragon s'enroule sans cesser de parler).

LE DRAGON

Pour t'en revenir à Buzard...

LA LANGOUSTE

Ah! non, autre chose!

LE DRAGON

Attends, tu vas voir... Tous les deux, on se met à causer. Buzard...

LA LANGOUSTE

Passe la main avec ton Buzard. J'en ai jusque-là de ton Buzard!

LE DRAGON

Attends, tu vas voir. Buzard, il me parle de toi. Il dit : « Mon vieux, je connais une femme, mais alors une femme... » Moi je lui réponds : « Je demande pas mieux. » Mais voilà qu'hier, Nicolas...

LA LANGOUSTE

Quel Nicolas?

LE DRAGON

Ben quoi, l'adjudant. L'adjudant Nicolas.

(Il enfile sa tunique).

LA LANGOUSTE

Ah! assez! Parle-moi plutôt de ta cambrousse. T'as une famille, t'as des parents, t'as des sœurs?

LE DRAGON

Je vois pas pourquoi j'irais parler de mes sœurs à une putain.

LA LANGOUSTE

Elles doivent avoir la gueule fraîche, oui, tes sœurs. Je voudrais les voir, tiens.

LE DRAGON

T'occupe pas de mes sœurs. Mes sœurs, elles ont tout ce qu'il leur faut. Et pour ce qui est de Buzard, dis-toi bien une chose. C'est que si je n'avais pas connu Buzard, une supposition, je ne serais peut-être jamais venu chez toi. Et en tout cas, pas aujourd'hui.

LA LANGOUSTE, ricanant.

Sûrement que la journée m'aurait paru longue.

LE DRAGON, il boucle son ceinturon, auquel est accroché son sabre, et prend une cigarette.

Chez toi, dans un sens, ce n'est peut-être pas cher... (*Il allume sa cigarette*). Mais si on veut bien réfléchir...

LA LANGOUSTE

Ça va. Fous le camp.

LE DRAGON

Sans parler de la chambre...

LA LANGOUSTE

Allez, bonsoir. Oublie pas ton panama.

LE DRAGON, il se coiffe de son casque à crinière.

Chez toi, y a pas seulement une glace.

LA LANGOUSTE

T'inquiète pas. T'es tout ce qu'il y a de mignon.

LE DRAGON

Alors, bonsoir. (*La main sur le bouton de la porte*) : D'après ce que m'avait dit Buzard, j'aurais quand même cru que c'était autre chose. (*Il ouvre la porte*). Je crois que voilà du monde.

(Il disparaît, laissant la porte entrouverte).

SCÈNE II

(Clérambard apparaît au haut des trois marches).

CLÉRAMBARD

Mademoiselle.

LA LANGOUSTE

Ah! monsieur le Comte. C'est gentil de venir me voir. Entrez.

CLÉRAMBARD, il entre.

Je ne vous dérange pas?

LA LANGOUSTE

Je suis toute seule. Ça tombe à pic. (*Elle rit et avance une chaise*). Tiens, assieds-toi mon gros lapin.

CLÉRAMBARD

Merci.

(Il prend le dossier de la chaise et reste debout).

LA LANGOUSTE

Alors, quoi, on a envie de s'amuser un peu?

CLÉRAMBARD

A vrai dire, ma visite a un tout autre but.

LA LANGOUSTE

Oh! alors, pardon. Excusez.

CLÉRAMBARD, regardant la chambre.

Je vous en prie. Comme c'est beau, chez vous! On s'y sent déjà près du ciel. Vous, au moins, vous ne faites pas de mal aux araignées.

LA LANGOUSTE

C'est vrai que les toiles d'araignées, ce n'est pas ce qui manque ici. Bien sûr que je devrais les ôter, mais je finis par ne plus les voir. Et la vérité, c'est que les araignées ne me gênent pas.

CLÉRAMBARD

Ah! j'avais raison, je le pressentais. Vous aimez les bêtes, les plus petites, les plus humbles, et vous les protégez de tout votre amour. Léonie Vincent, vous êtes un ange, une princesse du ciel et promise au ciel. Maintenant que je vous connais un peu plus, je me sens intimidé. Je ne sais plus si je peux me permettre encore de vous dire ce qui m'amène.

LA LANGOUSTE

Allez-y. Vous savez bien qu'avec la Langouste, il n'y a pas besoin de se gêner.

CLÉRAMBARD

Adorable humilité! J'ai bien peur que ce malheureux soit indigne. (*Soupir*). Enfin, nous verrons bien... Je vais peut-être vous surprendre, et peut-être vous scandaliser.

LA LANGOUSTE

Me scandaliser, ça m'étonnerait. Je ne vois pas trop ce que vous pourriez me sortir.

CLÉRAMBARD

Est-ce que vous connaissez mon fils?

LA LANGOUSTE

Attendez...... Ce n'est pas lui que j'ai rencontrée chez vous hier au soir? Un grand sifflet, l'air un peu andouille.

CLÉRAMBARD

Oui, je vois que vous le connaissez. C'est de lui, justement, qu'il s'agit. En deux mots, voilà toute l'affaire. Mon fils Octave vous aime.

LA LANGOUSTE

C'est facile. (*Souriant*). Une politesse en vaut une autre. Je le laisse faire son prix.

CLÉRAMBARD, secouant la tête, l'air attendri.

Loyale. Oh! j'en étais sûr. Autant de plus à ajouter à vos mérites. Amour, humilité, bonté, loyauté. Mais je n'ai pas su me faire comprendre. Mon fils vous aime et désire vous épouser.

LA LANGOUSTE

Dites donc, j'aime pas qu'on se paie ma tête. Vos boniments au mariage, ça pourrait bien faire du vinaigre.

CLÉRAMBARD

Est-ce que j'ai la tête d'un homme qui plaisante?

LA LANGOUSTE

Je me doute que ça ne doit pas vous arriver souvent.

CLÉRAMBARD

Octave vous aime depuis dix ans sans oser vous le dire.

LA LANGOUSTE

Alors, c'est vrai? C'est sérieux?

CLÉRAMBARD

Il vous aime aujourd'hui comme au premier jour.

LA LANGOUSTE

Depuis dix ans! Pauvre môme. Il aurait quand même pu mieux tomber.

CLÉRAMBARD

Mieux tomber! Ma pauvre enfant... L'humilité est une grande vertu, mais qui ne doit pas nous dissimuler le visage de la vérité. Vous avez cru d'abord à une plaisanterie de ma part. Pensez-vous qu'Octave vous fasse beaucoup d'honneur en demandant votre main? C'est mon devoir de vous

avertir. Octave est une pauvre cervelle, un garçon sans volonté, et sans beaucoup de cœur non
plus.

LA LANGOUSTE

Je ne vous crois pas. Votre fils n'est pas ce que
vous dites.

CLÉRAMBARD

Hélas! Non. Il est pire.

LA LANGOUSTE

N'importe comment, il vaut toujours mieux que
moi.

CLÉRAMBARD

Mieux que vous? Assurément non, mais sa vraie
chance, ce serait de devenir votre mari.

LA LANGOUSTE

Vous me faites rire. Est-ce que je peux être une
chance pour quelqu'un?

CLÉRAMBARD

Une chance que pour ma part j'envie à Octave.
Vous lui apporterez l'humilité, l'amour des araignées, la vertu de vos souffrances!

LA LANGOUSTE

Vous déraillez. Ce que je peux apporter à
Octave, je le sais mieux que personne. Moi, ma
vie, c'est vendre ma viande, me saouler, et les
engueulades, les bagarres. Et si ça se trouve, la
foire d'empoigne. J'ai déjà été en prison trois fois.

CLÉRAMBARD

Chère petite. En prison.

LA LANGOUSTE

Si j'étais mariée, je tiendrais pas une heure entre
le pot-au-feu et le fer à repasser. Faudrait que je
cavale. Au milieu de la nuit, en rentrant chez
nous avec une biture au vin rouge, je flanquerais
aussi bien une trempe à Octave.

CLÉRAMBARD

Mais oui! Mais bien sûr!

LA LANGOUSTE

Quoi?

CLÉRAMBARD

Vous êtes la femme qu'il faut à mon fils.

LA LANGOUSTE

Minute. Je me vois pas encore fiancée. Je me
sens comme un charbonnier devant du linge
blanc. Remarquez que mon mari, je l'aimerais
bien, mais quoi, le sentiment, ça me pousse au
vin rouge. Je me connais, mon époux, je lui ferais
honte à tous les tournants de l'existence. C'est
comme les personnes distinguées, je résisterais pas,
je leur enverrais des grossièretés et des trucs
cochons en pleine table. Et ça, monsieur le Comte,
vous n'y pouvez rien, c'est le vice des putains.

CLÉRAMBARD

Pardonnez-moi, j'avais deviné une partie de vos
mérites, mais je ne m'attendais pas à trouver chez

vous une humilité aussi parfaite, un détachement
aussi simple et aussi complet des vanités du monde.

LA LANGOUSTE

Vous me parlez drôlement. Je suis toujours à
me demander si vous êtes sérieux.

CLÉRAMBARD

Je vous parle avec tout l'élan, toute l'ardeur que
m'inspirent l'admiration, la joie de vous découvrir plus belle que je ne vous avais vue d'abord.

LA LANGOUSTE

Alors, vous me trouvez bien?

CLÉRAMBARD

Je vous aime déjà comme ma fille.

LA LANGOUSTE, lui passant un bras autour du cou.

Vrai? Vous m'aimez un petit peu?

(Elle se presse contre lui).

CLÉRAMBARD, lui prenant la taille comme sans y penser.

Je vous aime pour toutes vos perfections.

LA LANGOUSTE

Moi aussi, je vous aime bien. Vous ne croyez pas
que tous les deux, on est fait pour s'accorder?

CLÉRAMBARD

Je l'ai compris au premier moment.

**LA LANGOUSTE, la tête renversée en arrière, elle le
regarde avec des yeux provocants.**

J'ai tellement besoin d'affection!

CLÉRAMBARD, la voix rauque.

Vous en aurez!

LA LANGOUSTE

Avec vous, on a envie d'être gentille

(Elle rit).

CLÉRAMBARD

Soyez gentille.

LA LANGOUSTE

Mon gros loup!

(Clérambard la serre contre lui d'un mouvement brusque
et se penche sur son visage. A cet instant, le chant d'un
oiseau emplit la chambre. Clérambard écarte la Langouste
et passe la main sur son front. Le chant cesse).

CLÉRAMBARD

Mon Dieu, pardonnez-moi. La nuit avait envahi
mon cœur. J'étais près de céder à la plus abominable des tentations. Au bord de l'abîme où j'allais
entraîner une créature innocente, j'ai été retenu
par ce message mélodieux du petit pauvre d'Assise,
mais je n'avais pas mérité une grâce aussi particu-
lière. Seigneur, comme je suis faible encore et
complaisant aux entreprises du démon! Si je
laisse un moment s'écarter de vous ma pensée, je
ne suis plus que moi-même et, livré à mes instincts, livré à ma pauvre raison tremblante, je re-

tombe à la boue, je retourne à la violence, à la chiennerie. Seigneur, pourquoi votre présence n'est-elle pas en moi à tout instant? Hélas! Je le vois bien, c'est qu'il me manque le secours de la prière, c'est que mes lèvres n'ont pas encore appris à murmurer sans cesse votre saint nom qui m'avertirait du danger. (*A la Langouste après un silence*). Ma pauvre enfant, vous qui pensiez vous abandonner à l'amitié d'un père, méprisez-moi comme je mérite de l'être. Je ne suis qu'une bête lubrique... Un cochon! <u>Un cochon!</u>

LA LANGOUSTE, riant.

Vous n'avez pas vu que c'est moi qui vous ai cherché? Naturellement que je n'aurais pas dû, mais je ne pensais pas non plus que vous étiez dans des idées de curés. Je me suis laissée aller aux habitudes du métier, sans réfléchir plus loin.

CLÉRAMBARD

Léonie, vous m'êtes à présent plus chère que jamais, mais n'essayez pas de me trouver des excuses. Vous me fâcheriez. Quand je pense que j'étais venu vous demander votre main pour mon fils et que je n'ai pas craint de serrer dans mes bras la femme dont j'espérais faire ma bru, je sens me monter au front le rouge de la honte. Ce crime que j'allais commettre, Léonie Vincent, savez-vous que ce n'était rien de moins qu'un inceste?

LA LANGOUSTE

Qu'est-ce que vous allez chercher!

CLÉRAMBARD

A vrai dire, j'avais consenti à l'inceste. Que dis-je? Mais je l'ai commis en esprit. Ah! Misérable chair! Je suis un satyre, un cochon incestueux!

LA LANGOUSTE

Mais non, mais non. Ecoutez, même si vous aviez été jusqu'au bout, je vous assure que c'était **peu de** chose.

CLÉRAMBARD

N'essayez pas non plus de me rassurer. Dieu merci, je suis conscient de la noirceur de mon crime. Je n'entends d'ailleurs pas le tenir secret. Dussé-je en crever de honte, je le confesserai bien haut à ma femme, à ma belle-mère et, bien entendu, à mon fils.

LA LANGOUSTE

Dites donc, à propos, j'aimerais bien **le** voïr, votre Octave.

CLÉRAMBARD

Je vous l'envoie tout de suite et je reviendrai le chercher un peu plus tard. Quel que soit l'accueil que vous ferez à Octave, j'ai à vous parler d'une autre chose qui me tient encore plus à cœur que ce mariage. A tout à l'heure.

LA LANGOUSTE

Salut.

(Clérambard sort).

SCÈNE III

(Léonie prend dans le tiroir du buffet un miroir à main
et un poudrier. Tout en se maquillant, elle chante).

LÉONIE

Pendant vingt ans trimant à la fabrique,
Dans l'atelier aux vapeurs méphytiques
Il a donné ses forces sans compter,
Et maintenant, l'courageux ouvrier...

SCÈNE IV

LA LANGOUSTE

Entrez!

Mᵉ GALUCHON, passant la tête par l'entrebâillement
de la porte.

Coucou, c'est votre petit Galuchon qui vient
folâtrer. (*Il entre*). Ah! J'ai eu peur. Je viens de
croiser une ombre dans l'escalier. Heureusement,
il faisait noir. Un client?

LA LANGOUSTE

Ça me regarde.

Mᵉ GALUCHON

Je vous trouve plus excitante que jamais.
Vous avez un air... Hou!

LA LANGOUSTE

Qu'est-ce qui te prend? Tu ne viens jamais le dimanche.

Mᵉ GALUCHON

Je me suis échappé en prétextant un rendez-vous d'affaires. Depuis hier soir, je suis obsédé par le souvenir de notre dernière rencontre. Ce matin, je me suis levé à cinq heures, soi-disant pour expédier un travail, en réalité pour aller regarder vos photos. J'avais choisi les meilleures, celles que je cache dans un volume de droit canon. Hou! Je n'en pouvais plus. Chez moi, à la messe, à table, en visite, je ne pensais qu'à ma Langouste. Je croyais la voir dans sa chambre, allongée sur son petit grabat. Tout me parlait d'elle. Dehors, je regardais les platanes. Leurs grosses branches fourchues s'ouvraient comme des cuisses.

(Il rit).

LA LANGOUSTE

T'as l'air bien malade.

Mᵉ GALUCHON

Dans le brouillard la colline s'arrondissait comme une croupe impérieuse.

LA LANGOUSTE

Ferme ça. Aujourd'hui, j'ai pas la tête à t'entendre divaguer.

Mᵉ GALUCHON

Vous avez raison, je perds du temps. Par devant nous, Galuchon Eugène, avoué, établi en la rue

Fantin, a comparu en chemise et en pantalon, mais sans autre empêchement de voir ni de toucher, demoiselle Langouste, de son état fille publique, domiciliée ruelle aux Brebis où elle a boutique de délices, laquelle Langouste, de nous requise et pour la somme de quinze francs... (*Il tire son portefeuille, donne de l'argent, mais, comme il veut l'enlacer, elle le repousse rudement*). Oh! Je vous ai fâchée?

LA LANGOUSTE

Tu tombes mal. Je suis dans un bon jour.

Mᵉ GALUCHON

Je me suis pourtant conduit comme d'habitude. J'ai prononcé les paroles rituelles. J'ai avancé la main...

(Il refait le geste d'enlacer la Langouste).

LA LANGOUSTE

Enlève tes pattes.

Mᵉ GALUCHON, irrité.

Vous n'avez sans doute pas réfléchi que si je laisse ici quarante-cinq francs par semaine, j'achète certains droits qui ne peuvent pas être mis en discussion.

LA LANGOUSTE

Je discute pas. Je te dis de t'en aller.

Mᵉ GALUCHON

Vous n'allez tout de même pas me laisser partir comme ça?

LA LANGOUSTE

Allons, dehors.

Mᵉ GALUCHON

Doucement, je viens de vous donner de l'argent.

LA LANGOUSTE

Quoi? Quel argent?

Mᵉ GALUCHON

Les quinze francs...

LA LANGOUSTE

Ça va, on n'en parlera plus.

Mᵉ GALUCHON

Ah! Permettez! Je n'admettrai pas...

SCÈNE V

(La porte s'ouvre. Octave apparaît en haut des trois marches.)

OCTAVE

Oh! Pardonnez-moi... Je ne croyais pas...

Mᵉ GALUCHON

Comment, c'est vous, monsieur Octave? Fermez
la porte. Votre présence en ces lieux est pour le
moins surprenante.

OCTAVE

Maître, je suis confus, j'étais loin de penser...

Mᵉ GALUCHON

Bien sûr, vous ne pensiez pas me rencontrer ici.
(*A la Langouste*). Laissez-nous parler un peu...
Mon cher vicomte, je me demande lequel de nous
deux est le plus surpris de la rencontre. A la ré-
flexion, je crois bien que c'est moi. Notez que je
ne vous fais pas de reproche et que, pour ma part,
j'ai la conscience tranquille... Je trouve chez cette
fille un délassement, une détente... l'oubli passager
des fatigues et des soucis que je m'impose dans
l'accomplissement de la tâche quotidienne. Où est
le mal? J'arrive à un âge où, après avoir assis soli-
dement mes affaires et élevé dignement mes
enfants, il m'est permis de penser un peu à moi.
C'est bien votre sentiment?

OCTAVE

Certainement, maître.

Mᵉ GALUCHON

Vous, mon cher vicomte, vous êtes un jeune
homme de vingt-deux ans. C'est l'âge où l'on envi-
sage sérieusement les problèmes difficiles que pose
l'obligation d'asseoir convenablement son exis-

tence, de fonder une famille. Le temps n'est pas venu encore de chercher l'évasion dans des plaisirs frivoles où seul un homme mûr peut trouver matière à d'utiles réflexions. Vous n'avez donc pas les mêmes raisons que moi de venir ici et je suis sûr que vous ne vous y sentez pas pleinement autorisé par votre conscience.

OCTAVE

Oh! ma conscience!

M⁰ GALUCHON

Encore une fois, il n'est pas question de reproche. Je suis assez compréhensif pour admettre que ces sortes de jeux ne compromettent en rien votre sentiment loyal pour ma fille Evelyne. Ayons seulement la prudence de ne parler à personne de cette rencontre et nous finirons par l'oublier nous-mêmes. Vous venez souvent?

OCTAVE

C'est la première fois.

M⁰ GALUCHON, s'esclaffant.

Non! Ah! C'est trop drôle! Vraiment, vous n'avez pas de chance. Allons, jeune homme, je ne vous retiens plus.

OCTAVE

Excusez-moi, mais papa doit venir me retrouver ici.

M⁰ GALUCHON

Quoi? Votre papa... Ah! C'est du propre!

OCTAVE

Maître... Je dois vous dire la vérité. La femme
que mon père veut me faire épouser... C'est elle.

Mᵉ GALUCHON

Comment?

OCTAVE

En présence des jeunes filles il nous était difficile de vous renseigner plus précisément.

Mᵉ GALUCHON

C'est juste. Mais la comtesse aurait pu m'infor-
mer sans être entendue de ma femme ni de mes
filles.

OCTAVE

Peut-être, mais c'était assez gênant.

Mᵉ GALUCHON

Ainsi donc, l'épouse que vous destine votre père,
celle dont il entend faire une vicomtesse de Clérambard, serait cette fille publique? Ah! Je comprends que la comtesse ait eu honte de nous la
nommer. Mais pourquoi veut-il que son fils épouse
une catin? Quelles raisons vous a-t-il données d'un
choix aussi extravagant?

OCTAVE

Je ne les ai pas comprises très clairement. Il
m'a semblé qu'elles étaient surtout d'ordre moral et
religieux.

Mᵉ GALUCHON

Vous vous moquez de moi? Je voudrais savoir ce que peuvent bien faire ici la morale et la religion.

OCTAVE

Je ne sais pas.

Mᵉ GALUCHON

N'importe, n'est-ce pas? Vous êtes décidé à épouser ma fille en vous passant du consentement de votre père?

OCTAVE

Oui... Mais ce sera difficile. Je porte à mon père trop d'affection et de respect pour me dresser contre lui, et passer outre à sa volonté. Je ne peux pas lui faire cette peine.

Mᵉ GALUCHON

Allons donc! Voilà ce que vous lui direz...

OCTAVE

Vous pourriez le lui dire vous-même. Vous auriez plus de chances de vous faire écouter et vos raisons auraient plus de poids que les miennes. Il va être là dans une minute.

M• GALUCHON

Oh! Mais alors, je file. Surtout, ne vous laissez pas envelopper, ne vous engagez à rien... Venez me voir demain... (*Haussant la voix pour la Langouste*). Et vous, ne vous laissez pas prendre à cette

histoire de mariage qui ne pourrait **que vous** attirer des ennuis. Adieu!

LA LANGOUSTE

Salut!

M⁰ GALUCHON

Je pars le cœur lourd de regrets.

(Il sort).

SCÈNE VI

(La Langouste s'approche d'Octave).

LA LANGOUSTE

Qu'est-ce qu'il vient de me raconter, **que je**
pourrais m'attirer des ennuis?

OCTAVE

C'est qu'il veut me faire épouser sa fille.

LA LANGOUSTE

Laquelle? La plus laide?

OCTAVE

Bien sûr.

LA LANGOUSTE

Alors?

OCTAVE

Je ne veux pas.

(Silence).

LA LANGOUSTE

C'est vrai ce qu'il a dit, ton père? que depuis dix ans...

OCTAVE

Oui, depuis dix ans, j'attends le moment de me trouver seul avec vous. Quand j'ai commencé à venir en cachette rôder dans votre rue. j'étais encore un enfant. Il me tardait d'être un homme pour enfin oser. Mais l'audace devait toujours me manquer. Combien de fois m'est-il arrivé de venir jusqu'à l'entrée du couloir en comptant mes sous dans ma poche. Quelquefois, je voyais entrer un soldat. Il me semblait vous voir, vous, le corps en mouvement et disant des choses que je me répétais tout bas.

LA LANGOUSTE

C'est drôle, comme ça les travaille, les mômes. (*Elle s'approche de lui, le frôle*). Et maintenant?

OCTAVE

Depuis que mon père m'a parlé de ce mariage, j'ai des moments de folie. Rien ne compte plus pour moi, famille, considération, argent, héritière, sécurité. Il n'y a plus de raison qui puisse me tenir. Je veux vous épouser, je veux me vautrer avec vous jusqu'à la fin de ma vie et tant pis pour l'hôtel de Clérambard, tant pis pour l'argent, tant pis pour le nom, tant pis pour tout. Je m'en fiche, pourvu qu'un jour je sois satisfait, rassasié, que je ne sente plus ce tourment, cette angoisse de chaque instant, que je me délivre de

cette souffrance qui est en moi comme une bête...
une sale bête d'araignée dégoûtante que je
m'épuise à contenir.

(Il s'éponge le front).

LA LANGOUSTE

Ben, mon vieux.

OCTAVE

Vous voulez? Hein, vous voulez?

LA LANGOUSTE

J'ai pas dit ça.

OCTAVE

Vous couchez bien avec Galuchon.

(Silence).

LA LANGOUSTE

Alors t'avais pas autre chose à me dire? Moi, je
croyais qu'on allait entamer le duo. J'attendais des
petits mots sucrés, de la chansonnette à l'émotion.
Au lieu de ça...

SCÈNE VII

(Clérambard frappe et entre).

CLÉRAMBARD

Ah! Je viens d'avoir encore une scène avec votre
mère. La pauvre femme ne comprend rien. Et ma

belle-mère encore moins. Eh bien! Qu'est-ce que vous pensez de mon fils, Léonie?

OCTAVE, à son père.

Je veux l'épouser. C'est vous qui avez eu l'idée de ce mariage. Je veux l'épouser le plus tôt possible.

CLÉRAMBARD

Naturellement, mais vous n'êtes pas seul à en décider. Qu'en pensez-vous, Léonie?

LA LANGOUSTE

Pour être franche, ce n'est pas ce que j'attendais.

CLÉRAMBARD

Voilà qui est clair et l'accent de votre voix ne trompe pas. (*A Octave*). Vous entendez? Vous êtes indigne de Léonie. Je croyais qu'il y avait une petite chance, mais l'orgueil paternel m'aveuglait une fois de plus. Allons, vous n'avez plus rien à faire ici. Partez!

OCTAVE

Et moi, je veux l'épouser. Vous me l'avez promis. Je ne peux pas renoncer à elle. Je reste ici.

CLÉRAMBARD

Octave, ne m'échauffez pas les oreilles.

OCTAVE, il a un mouvement vers la Langouste

Je veux être à elle! Je veux l'avoir, je veux coucher avec elle!

CLÉRAMBARD, il le rattrape par le col et le gifle.

Voyez-vous ce cornichon? Bouffi de suffisance! Et
avec ça, luxurieux comme pas un! Je ne voudrais
pas me flatter, Léonie, mais je crois que cet ani
mal-là est encore plus répugnant que son père.

OCTAVE

Je ne renoncerai pas! Je veux me vautrer sur
son corps, je veux...

CLÉRAMBARD

Goujat! Hors d'ici! (*Il prend Octave par le bras*).
Vous faites rougir votre père!

LA LANGOUSTE

Arrêtez, soyez pas méchant avec lui. D'abord,
vous ne m'avez pas comprise. Ce que j'ai voulu
dire, c'est que les gringalets dans son genre, c'est
pas tout à fait mon type d'homme. N'empêche que
quand il m'a causé d'amour, j'ai eu comme un
coup de langueur dans le poitrail. Encore maintenant, j'en suis toute chose. J'ai les intérieurs en
duvet de canard. Je ne savais plus où j'en étais. Je
voulais prendre le temps de m'y reconnaître. Les
affaires d'amour, c'est sérieux, surtout quand il y
a le mariage à la clé.

CLÉRAMBARD

Vous avez raison, mais je n'admets pas le lan-
gage qu'il vient de tenir devant vous. Je n'admets
pas ces rugissements de la lubricité.

LA LANGOUSTE

Parce que vous n'y connaissez rien. Pour moi, justement, c'est le cri de la passion, et c'est bien ce qui me fait réfléchir. Remarquez, quand vous êtes arrivé, Octave ne m'avait pas tout dit. Et l'amour, vous savez ce que c'est... Bien souvent, il suffit d'un rien. Un mot gazouillé, un retour des prunelles, on se trouve chaviré. Allons, viens, Octave, viens me roucouler ça dans l'oreille.

CLÉRAMBARD

Prenez garde, Léonie, ne perdez pas votre sang-froid.

LA LANGOUSTE, entraînant Octave sur le devant de la scène.

Soyez tranquille, j'ai de la défense.

(Clérambard s'assied et, tirant son livre de sa poche, lit).

OCTAVE

Tout à l'heure, j'étais trop ému. Mes paroles ont pu vous faire croire qu'il s'agissait d'autre chose que d'un sentiment. J'étais trop ému et je n'ai pas su vous dire toute la tendresse...

LA LANGOUSTE

Ça va bien, range ton boniment, c'est trop tard. Et puis tu le dis mal. T'as pas encore attrapé le ton. Et ni l'air non plus. Tu voudrais me regarder en face, mais en douce, t'as l'œil qui coule dans mon corsage, qui s'enroule autour de ma viande. Ces trucs-là, tu sais, je m'y connais un peu !

OCTAVE

Alors quoi?

LA LANGOUSTE

Je t'en veux pas, tu sais... Et même, tu me ferais
plutôt de la peine. T'es qu'un pauvre môme, pas
solide, des nerfs de fillette, avec ça, l'air pas bien
nourri. Et depuis dix ans que tu te retiens, dis
donc, ça doit te faire mal. C'est bon, je vais arranger ça. A partir de maintenant, on est fiancé. En
attendant les sacrements, on se mariera un petit
peu, de temps en temps. (*Elle lui passe les bras
autour du cou*). Monsieur de Clérambard, je peux
pas résister. J'ai vu le ciel dans les yeux d'Octave.

CLÉRAMBARD

Chers enfants.

SCÈNE VIII

Tandis qu'Octave et la Langouste sont encore embrassés,
Louise et Mme de Léré apparaissent sur les marches. Les
deux fiancés se désunissent).

L'authorité maternel

LOUISE

Octave, rentrez à la maison, et qu'il soit bien
entendu que vous ne remettrez pas les pieds chez
cette fille.

CLÉRAMBARD

Octave, je vous prie de rester ici, auprès de votre
fiancée. Je vous le disais tout à l'heure, votre
mère ne voit pas où sont vos véritables intérêts.
Pas plus d'ailleurs que votre grand-mère.

Mme de LÉRÉ

Gendre, vous devriez au moins, en face de cette fille, avoir la décence de ne pas médire de votre femme ni de la mère de votre femme. (*A Octave*). Viens, mon grand, rentre à la maison.

OCTAVE

Non, grand-mère, je ne peux pas.

LOUISE

Et pourquoi ne pourriez-vous pas?

OCTAVE

Je suis déjà lié par ma promesse... D'ailleurs, papa ne veut pas.

LOUISE

Ne vous retranchez pas derrière l'autorité de votre père. Il n'y a personne qui puisse vous obliger à vous déshonorer si vous n'en avez pas vous-même le désir. Vous êtes majeur, vous comprenez fort bien que ce mariage est une infamie, qu'un homme propre et sain d'esprit, à plus forte raison un vicomte de Clérambard, ne peut pas accepter une telle déchéance. Et au fond de vous-même, vous ne l'acceptez pas?

OCTAVE

Si.

Mme de LÉRÉ

Oh! Octave!

LOUISE, à Octave.

Dois-je comprendre que vous êtes conscient de cette déchéance?

(Octave soupire sans répondre autrement).

LA LANGOUSTE

Laissez-le tranquille, ce pauvre mignon. Vous êtes toujours à l'embêter. Quand ce n'est pas les uns, c'est les autres. Bien la peine d'avoir des parents!

Mme de LÉRÉ

Gardez vos réflexions pour vous. Elles sont dé-placées.

LA LANGOUSTE

Ça se peut, mais moi, je défends mon fiancé.

CLÉRAMBARD

Ma pauvre Louise, quand je pense que vous étiez prête à marier ce garçon avec un sac d'écus! Quelle leçon nous donnent ces enfants! *sac d'argent*

(Poussant la porte entrouverte, un dragon apparaît entre Louise et Mme de Léré).

LE DRAGON

Oh! Pardon... Excusez... Je ne savais pas qu'il y avait du monde... Je repasserai...

(Mme de Léré s'étant retournée et comme elle le toise avec indignation, le dragon lui éclate de rire au nez, puis se retire).

Mme de LÉRÉ

Quelle horreur! Il est vrai qu'en un pareil lieu, on se trouve exposé aux rencontres les moins rassurantes.

LA LANGOUSTE

Ne craignez rien, chère madame. Ce n'est pas à vous qu'il en avait.

LOUISE

Hector, je vous trouve d'une inconscience extraordinaire. Vous semblez avoir oublié tout d'un coup que notre situation matérielle est désespérée. Prenez le temps d'y réfléchir et comprenez que ce mariage est insensé. Qui donc alimenterait le ménage?... Cette... personne continuerait-elle à recevoir des soldats?

LA LANGOUSTE

Et alors! Vous n'imaginez pas que mon trésor et moi, on va se laisser mourir de faim.

LOUISE

Qu'en dites-vous, Octave? Vous ne répondez pas. Il y a là, pourtant, un problème qui se pose dès maintenant et qu'il faudra bien avoir résolu le jour de votre mariage. Mais je pense que la vérité commence à vous apparaître dans son évidence impitoyable et que vous comprenez déjà l'insanité de ce projet

CLÉRAMBARD

Louise, vous parlez cette fois raisonnablement et votre inquiétude est des plus légitimes. Mais, ras

surez-vous, car en homme pratique, j'ai pensé à
tout. Dès demain, l'hôtel de Clérambard sera mis
en vente. Avec le peu que nous laisseront les créanciers, nous achèterons une roulotte, un cheval, et
nous nous en irons par les chemins et par les
bois écouter la rumeur des hommes et la chanson
des oiseaux. Nous laisserons là les soucis d'argent
pour aller vivre dans la communion des gens et
des bêtes en traçant derrière nous un sillon
d'amour.

Mme de LÉRÉ

Vous ne prétendez tout de même pas nous faire
vivre comme des romanichels! (*Montrant la Langouste*). Et dans cette promiscuité.

LA LANGOUSTE

Dites donc, pas plus que vous.

LOUISE

Votre idée est absurde. Je ne vois pas qu'elle
apporte à nos ennuis aucune espèce de solution.
Dans votre roulotte, de quoi vivrons-nous?

CLÉRAMBARD

C'est simple. Nous vivrons d'aumônes. Nous
demanderons, au nom de Notre-Seigneur, la charité aux passants des villes. Nous irons dans les
fermes et dans les champs implorer les paysans.
Et à tous, nous parlerons de Dieu et du comman-
dement d'amour.

Mme de LÉRÉ

De mieux en mieux, il ne vous suffit pas de jeter votre fils dans les bras d'une créature et de nous changer tous en romanichels. Vous voulez encore que votre famille vive de mendicité!

CLÉRAMBARD

Oui, c'est mon ambition, et je n'en vois pas de plus haute. J'ai beaucoup réfléchi en ces dernières vingt-quatre heures. Je me suis persuadé que la plus belle mission que se puisse proposer un homme est celle de mendier son pain et d'éveiller ainsi les sentiments d'amour, de compassion, de fraternité, qui sommeillent aux cœurs de nos semblables. Celui-ci qui demande la charité travaille plus pour son prochain que pour lui-même. Le monde souffre de n'avoir pas assez de mendiants pour rappeler aux hommes la douceur d'un geste fraternel. Nous serons justement ces tendres missionnaires et, chaque fois que nous tendrons la main, nous aurons la joie de nous dire qu'une étincelle d'amour jaillit entre les hommes.

LOUISE

Hector, je veux croire encore que la nuit suffira à dissiper vos rêveries. Mais si vous persistez dans ces projets, sachez que vous trouverez en moi un adversaire tenace et, si besoin est, une ennemie. Venez, maman.

(Louise et sa mère sont sur le point de sortir lorsque Clérambard les retient chacune par un bras).

CLÉRAMBARD

Louise, est-ce bien vous qui parlez d'être pour
moi une ennemie?

LOUISE

Le chagrin et la colère m'ont emportée au-delà
de ma pensée. Non, Hector, même si vos extravagances m'obligent à défendre notre famille contre
vous, je ne serai pas une ennemie puisque au
fond de mon cœur je vous plaindrai encore et je
vous aimerai. Il tient à vous seul que je sois
demain comme hier la compagne obéissante et
attentive à vos volontés. Mon dévouement vous
a-t-il jamais manqué dans les jours difficiles que
nous avons traversés? N'avez-vous pas trouvé en
moi, quand il le fallait, une auxiliaire sûre et
empressée?

CLÉRAMBARD

Je voulais justement vous le dire.

LOUISE

Eh bien, sachez-le, je n'ai pas changé. Mais vous,
Hector, qu'est-ce donc qui vous a changé tout d'un
coup, qui vous fait aujourd'hui parler et agir au
mépris de vos préoccupations les plus chères, de
vos soucis les plus poignants? N'avez-vous pas
conscience de cette transformation soudaine qui
s'est opérée en vous?

CLÉRAMBARD

Comment m'aurait-elle échappé puisqu'elle est
pour moi une source de joie ineffable? Louise!

Louise! Vous qui m'avez si sûrement deviné, je vous sens maintenant bien proche de moi et je ne veux plus tarder de vous faire une révélation à laquelle je craignais de vous trouver mal préparée. Cette métamorphose, qui a frappé votre esprit, je la dois à un miracle. Vous me comprenez bien, Louise, un miracle!

LOUISE

Qu'entendez-vous par là?

CLÉRAMBARD

Et que voulez-vous que j'entende, si ce n'est un miracle du ciel?

(Louise et Mme de Léré, d'une part, Octave et la Langouste, d'autre part, se regardent en silence).

Mme de LÉRÉ

Hector, vous avez fourni ces dernières semaines ʋn effort surhumain et vous êtes exténué. Soyez raisonnable, rentrez vous reposer.

CLÉRAMBARD, qui semble n'avoir pas entendu.

C'était hier. Je venais d'étrangler le chien du curé. Je suis descendu reprendre ma place parmi vous. Alors, un moine est entré, et ce moine qui m'a remis un livre, c'était saint François d'Assise!

LOUISE, d'un ton prudent.

Vous avez pu vous méprendre.

CLÉRAMBARD, sortant le livre de sa poche.

Ce livre que j'ai reçu de sa main, le voici! Vous pouvez le voir, le toucher!

Mme de LÉRÉ

Oui, mais le moine, comment se fait-il que nous ne l'ayons pas vu?

CLÉRAMBARD

Le curé s'est levé pour prendre congé, et, en sortant de la pièce il a trouvé son chien... (*S'exaltant*) mais vivant, aboyant. (*Il crie*). Il était vivant! Le saint l'avait ressuscité! Un miracle s'était accompli! Un miracle!

(Suit un silence prolongé).

CLÉRAMBARD, il regarde tour à tour chacun des assistants.

Vous êtes tous silencieux. Doutez-vous de mon témoignage? Dites-le!

LOUISE, avec douceur.

Mais non, Hector, personne ici ne songe à mettre vos paroles en doute.

CLÉRAMBARD, regard soupçonneux.

Non, vous ne me croyez pas. (*A Mme de Léré et à Octave*). Et vous?... Et vous?

Mme de LÉRÉ, avec un sourire de bonté.

Vous savez bien, Hector, que nous croyons tout ce que vous dites.

OCTAVE

Bien sûr.

CLÉRAMBARD, à la Langouste.

Vous non plus, vous ne me croyez pas.

LA LANGOUSTE

Je ne voudrais pas vous vexer, mais moi, votre histoire, je la trouve dure à avaler.

CLÉRAMBARD

Pourtant, le saint s'est manifesté tout à l'heure encore, ici-même... Oui, c'est une chose qu'il me faut vous confesser : alors que j'entretenais Léonie Vincent d'un mariage avec Octave, j'ai été assailli par tous les démons de la lubricité! Une chaleur d'enfer s'est répandue dans ma chair et j'ai pris cette pauvre enfant dans mes bras, je l'ai serrée, pressée contre moi avec une ardeur insensée et j'allais me jeter et l'entraîner dans la damnation de la fornication et de l'inceste! (*Son visage s'éclaire*). Heureusement...

LOUISE, d'une voix ferme.

Hector, je vous demande de rentrer à la maison avec notre fils.

CLÉRAMBARD

Laissez... Je vous disais qu'au moment de tomber dans la fornication, l'adultère, l'inceste...

LOUISE

Sortons.

(Elle sort avec Mme de Léré).

SCÈNE IX

(D'abord interdit, Clérambard court à la porte, l'ouvre et
poursuit son récit dans l'entrebâillement).

CLÉRAMBARD, haussant la voix à mesure que s'éloignent
les deux femmes.

C'est alors qu'un chant d'oiseau s'est élevé dans
la chambre, un chant triste et mélodieux comme
le doivent être les sanglots des anges du ciel! Et ma
chair brûlante s'est apaisée tout d'un coup! Le
repentir est entré en moi comme une eau froide
et amère! (*Criant*). Sauvé! J'étais sauvé! (*Il reste
un moment haletant, près de la porte*). C'était lui!
C'était le petit pauvre! (*Il s'élance dans le couloir,
laissant la porte ouverte. On entend ses vociféra-
tions qui vont déclinant*). Il avait eu pitié de moi
encore un coup! Il avait eu pitié de mon âme en
détresse! Et il m'avait averti!

(Octave va fermer la porte et revient à la Langouste, l'air
à la fois gêné et décidé).

RIDEAU

ACTE IV

La cour de l'hôtel de Clérambard. A gauche, porte d'entrée en pan coupé, à laquelle on accède par un escalier de quatre marches. A droite, une roulotte de profil, dont la porte et l'escalier font face au pan coupé. Un arbre derrière la roulotte, et de chaque côté, des arbres dont on ne voit que les branchages formant comme une voûte au-dessus de la scène. Banc de pierre à droite, parallèle à la roulotte.

SCÈNE PREMIÈRE

(La Langouste et Octave sont assis sur le banc de pierre).

LA LANGOUSTE

Arrête un peu de me tripoter. Je finis par avoir des bleus sur les cuisses.

OCTAVE

Je voudrais les voir.

LA LANGOUSTE

Au lieu de t'énerver quand c'est pas le moment, tu ferais mieux de prendre modèle sur ton père et de te conduire en gentleman. A quoi ça ressemble de penser toujours à ce que tu penses! Tu ne peux pas me faire la conversation gentiment? Je suis ta fiancée!

OCTAVE

Ma fiancée et bientôt ma femme... Ma femme de tous les soirs.

(Rire excité).

LA LANGOUSTE

Toi, dans le sentiment, tu penses tout de suite au traversin. La fleurette, c'est pas ton rayon. Enfin, c'est comme ça.

OCTAVE

Mais toi, tu m'aimes?

LA LANGOUSTE

Ça se peut.

OCTAVE

Tu parais n'en être pas sûre.

LA LANGOUSTE

C'est pas ça... Quand je pense que j'ai un sentiment pour toi, ça m'étonne un peu. Ta dégaine de tocard, ta gueule pas bien franche, tes airs de cochonnier sournois, c'est pas que ça me porte sur la peau. Au fond, c'est peut-être pas du sentiment. Ce qu'il y a, c'est que je n'ai pas l'habitude d'être demandée en mariage. Ces trucs-là, ça me monte à la crête.

OCTAVE

Tu as tellement envie de ce mariage?

LA LANGOUSTE

Ben...

(Clérambard, un carnet dans une main, un crayon dans l'autre, apparaît à la fenêtre de la roulotte).

CLÉRAMBARD

J'ai calculé que la vente de l'hôtel, une fois les créanciers satisfaits, doit rapporter trois mille cinq cents francs. Quand j'aurai payé la roulotte et le cheval, il nous restera donc au moment du départ quinze cents francs à distribuer aux pauvres.

LA LANGOUSTE

Moi, si j'étais de vous, je laisserais les pauvres se débrouiller. Si vous lâchez vos quinze cents francs, c'est vous qui devenez les pauvres.

CLÉRAMBARD

Mais c'est bien ce que nous voulons être.

(Il se replonge dans ses calculs et disparaît de la fenêtre).

OCTAVE

Pas moi! (*A la Langouste*). Et pour la roulotte, non, merci. Coucher à cinq dans une cage à lapins, crever de faim les trois quarts du temps, n'avoir que des haillons sur le dos et tendre la main pour demander l'aumône, non et non. (*Baissant la voix*). Sans compter que j'en ai soupé de vivre sous la coupe de mon père.

LA LANGOUSTE

Moi, je ferai comme tu feras, pourvu qu'on se marie. Mais si tu refuses de suivre ta famille dans la roulotte, je ne vois pas comment les choses peuvent s'arranger. Ou alors, tu t'installes chez moi. Mais une fois mariés, qu'est-ce qu'on ferait? Continuer le métier, ça se peut pas. Ce serait quand même une honte que pour cent sous, un militaire puisse s'offrir la vicomtesse de Clérambard. Et puis quoi, la vie serait pas tenable. Une supposition que tu rentres chez nous, que tu trouves un dragon dans ton lit, tu pourrais te froisser. Non, vois-tu, on n'a pas l'embarras du choix. Pour nous, le mariage, c'est la roulotte.

OCTAVE

J'ai dit non.

(Clérambard descend de la roulotte qu'il considère en prenant quelque peu de recul)

LA LANGOUSTE

Alors. trouve autre chose.

OCTAVE

On verra.

LA LANGOUSTE

On verra, c'est tout ce que tu sais dire. Naturellement qu'on verra. (*Silence*). Va falloir que je rentre chez moi. J'ai mon rendez-vous.

Elle veut continuer à vivre.

OCTAVE *La réalité*

Quel rendez-vous?

LA LANGOUSTE

Mon client du mardi matin.

(Clérambard s'approche de la roulotte et se penche pour examiner un moyeu).

OCTAVE

Tu ne vas pas, tout de même. aller le retrouver?

LA LANGOUSTE

Tu es drôle! Avec lui, c'est mes vingt-cinq francs qui me tombent à chaque fois.

(Elle se lève).

OCTAVE
Reste ici. Je t'interdis d'aller le retrouver.

(Il la saisit par le bras).

LA LANGOUSTE
Qu'est-ce qui te prend? Tu ne t'imagines pas
que j'ai de l'argent à jeter par les fenêtres, non?

OCTAVE
Tu es ma fiancée. Tu n'as pas le droit!

LA LANGOUSTE
Fiancée, c'est pas un métier. Faut manger. Allez,
au revoir. *La femme pratique*

OCTAVE
Non! c'est impossible... Papa! (*Clérambard se
retourne*). Léonie veut partir pour aller rejoindre
un... un client!

CLÉRAMBARD
pity
Vous avez l'air de vous en plaindre. Vous semblez n'avoir pas compris que si Léonie est la plus
radieuse des fiancées, si elle répand ce parfum d'humilité qui est à mes yeux une dot inestimable,
c'est qu'elle se soumet avec simplicité aux exi-
gences de son métier. Considérez cette chance que
vous avez si peu méritée et ne soyez pas si cornichon.

LA LANGOUSTE
T'entends? C'est ton père qui te parle.

CLÉRAMBARD

Pourtant, Léonie, mieux vaut désormais oublier vos clients. Vous êtes déjà des nôtres. Tout à l'heure, l'hôtel sera vendu. Ce soir, nous serons sur les routes. Une autre clientèle vous attend, une clientèle d'égarés, aux cœurs endurcis par l'orgueil, la méfiance, la misère, l'ignorance. Par votre seul geste de lui demander l'aumône, vous l'avertirez de sa disgrâce. Vous aurez aussi à lui prêcher l'amour de Dieu, l'amour du prochain et l'amour de la croix. Vous deviendrez une vraie fille d'amour, une vraie fille de joie, car chacune de vos paroles sera pour ceux qui l'écouteront une source d'amour et de joie.

LA LANGOUSTE

Vous me dites ça. Il faudrait d'abord décider Octave.

CLÉRAMBARD

Octave fera ce que j'aurai décidé pour son bien. A vous dire la vérité, je n'ose pas fonder sur lui de grandes espérances. C'est une âme de pénombre que les vives clartés de l'amour effaroucheront peut-être toujours. Mais qui sait? Je ne valais pas mieux que lui et Notre-Seigneur m'a fait miséricorde et le petit pauvre d'Assise m'a ouvert les yeux. Ayez confiance, mon garçon. Je suis sûr que vous ferez un mendiant très convenable.

OCTAVE

Non. Je ne veux pas être un claquedent, un miséreux, un paria. Soyez sûr que jamais je ne mettrai les pieds dans votre roulotte.

SCÈNE II

En tenue de ville, Mme de Léré débouche de la porte de l'hôtel. Elle a un mouvement de stupéfaction à la vue de la roulotte).

Mme de LÉRÉ

Qu'est-ce que c'est que ça?

CLÉRAMBARD

C'est notre roulotte. Comment la trouvez-vous?

Mme de LÉRÉ

Si c'est un cadeau que vous faites à cette personne... (*Elle montre la Langouste*). Vous avez bien choisi.

CLÉRAMBARD

Elle est pour Léonie, et pour nous tous... Venez voir l'intérieur.

Mme de LÉRÉ

Non, Hector, ce n'est pas la peine.

CLÉRAMBARD

Elle est compartimentée en deux chambres. En attendant que ces enfants-là soient mariés, vous dormirez avec Léonie dans la plus petite.

Mme de LÉRÉ

Vous pouvez y compter.

CLÉRAMBARD

Léonie vous parlera de la vie de saint François d'Assise, qu'elle connaît maintenant aussi bien que moi.

LA LANGOUSTE

Ah! oui, ce qu'il était gentil, hein? et doux et pas fier. Un garçon en or, ce petit saint François.

CLÉRAMBARD

Vous l'aimez, le petit pauvre d'Assise?

LA LANGOUSTE

Et comment! J'aurais voulu le connaître. On se serait sûrement bien entendu, tous les deux. Je l'aurais jamais lâché.

CLÉRAMBARD

Chère enfant.

LA LANGOUSTE

Vous pouvez dormir qu'avec moi, il aurait manqué de rien, qu'il aurait été dorloté. Pour un homme en sucre, comme celui-là, je me serais mise en quatre. Au labeur et par tous les temps, « tu viens chéri, c'est pour les pauvres ». Lui, pendant ce temps-là, il se faisait du lard, c'était bien son tour. On se meublait gentiment, une salle à manger, une chambre à coucher. Tous les soirs l'apéro chez Jules, le vendredi au cinéma...

Mme de LÉRÉ

Ces façons de parler sont odieuses.

CLÉRAMBARD, à la Langouste.

Votre vision de la sainteté n'est pas encore tout
à fait détachée de certaines aspirations profanes,
mais j'y vois l'essentiel qui est l'amour. *Tells her she doesn't really understand. You can't live with a Saint.*

Mme de LÉRÉ

Vous devriez avoir honte... Mais non, je ne veux
pas me fâcher. A quoi bon?... Hector, il faut que
je vous demande de l'argent pour aller faire le
marché.

CLÉRAMBARD

De l'argent? Mais je n'en ai pas.

Mme de LÉRÉ

Comment? Hier soir vous avez touché cent
francs pour les deux pulovères... vous savez bien...

CLÉRAMBARD

C'est vrai. Je les ai donnés à des pauvres.

Mme de LÉRÉ

C'est trop fort! Vous avez donné cet argent à des
inconnus et l'idée ne vous est même pas venue
qu'il vous fallait nourrir votre famille?

CLÉRAMBARD

Non, je n'y ai pas pensé. A vivre dans une atmos-
phère de miracles, je perds un peu la notion des
nécessités.

Mme de LÉRÉ

Alors?

(Silence).

LA LANGOUSTE

Je vais toujours vous donner dix francs.

CLÉRAMBARD

Merci, mon enfant. Vous nous sauvez.

(Relevant sa jupe, la Langouste prend un billet dans son bas).

Mme de LÉRÉ, se plaçant entre la Langouste et Clérambard, elle s'adresse à lui à mi-voix.

Vous n'allez pas accepter l'argent de cette fille!

CLÉRAMBARD

Soyons, sans orgueil, mon amie. Demain, ce soir, quand nous mendierons pour l'amour de Dieu, irons-nous demander leurs cartes de visite à ceux qui nous ferons l'aumône? Nous serons trop heureux d'avoir pu leur inspirer une pensée fraternelle, surtout si ces gens sont des réprouvés.

(Prenant le billet de la Langouste, il le tend à Mme de Léré).

Mme de LÉRÉ

Non, Hector, rendez l'argent à cette demoiselle.

CLÉRAMBARD

Mais pas du tout, je le garde. Pendant que j'y pense, si vous avez quelques hardes à emporter dans la roulotte, ne tardez pas à faire votre balluchon. Dans une heure, je passe chez le notaire, où j'ai rendez-vous avec l'acquéreur, et aussitôt après nous prenons la route. Pour l'instant, je monte au grenier où j'espère trouver quelques objets utiles. (*A la Langouste et à Octave*). Venez avec moi, tous les deux, vous pourrez m'aider.

Mme de LÉRÉ

Octave, veux-tu rester une minute?

OCTAVE

Bon.

(Clérambard entre dans l'hôtel, suivi de la Langouste)

SCÈNE III

Mme de LÉRÉ

Tu as entendu ce que vient de dire ton père. Es-tu toujours décidé à épouser cette fille, à monter dans la roulotte avec elle et à vivre de mendicité?

OCTAVE

Non. Je reste ici.

Mme de LÉRÉ

Où, ici? Dans une heure, nous n'aurons plus de maison. (*Silence*). Ou bien tu épouses Évelyne Galuchon et il n'y a plus de problème. Ou bien tu cherches une place d'employé de bureau ou d'employé de magasin à deux cents francs par mois, mais la trouveras-tu? En tout cas, il est temps de prendre une décision.

OCTAVE

Je vais voir. Je vais réfléchir.

SCÈNE IV

(Entre Louise, en tenue de ville, venant du côté opposé à l'hôtel).

Mme de LÉRÉ à Louise.

Tu as vu cette roulotte?

LOUISE

Oui. Tout à l'heure, quand je suis sortie, Hector était en train de la mettre en place.

Mme de LÉRÉ

Et tu sais qu'il a un acquéreur et que dans un moment...

LOUISE

Il m'a tout expliqué. Où est-il?

Mme de LÉRÉ

Il est allé fouiller au grenier. (*Silence*). J'étais en train de dire à Octave...

OCTAVE, agacé.

Mais oui! Je vous ai répondu que je réfléchirais...

(Il s'éloigne vers les arbres et disparaît).

Mme de LÉRÉ

Tu as vu maître Galuchon?

LOUISE

Oui. Naturellement, il m'a démontré qu'il fallait faire venir le médecin aliéniste de toute urgence.

Mme de LÉRÉ

C'est ce que nous pensions toutes les deux.

LOUISE

Bien sûr. Faire interner Hector, c'est couper court à ses extravagances et sauver ce qui peut encore être sauvé. Quant à savoir s'il est vraiment fou, je suis loin de posséder une certitude.

Mme de LÉRÉ

Le médecin nous le dira.

LOUISE

Oh! Un médecin aliéniste est toujours prêt à reconnaître un fou. Et celui qui va venir tout à l'heure est un ami de Galuchon. Autant dire que son opinion sera faite avant d'avoir vu Hector.

Mme de LÉRÉ

Il faut reconnaître que la conduite de ton mari ne laisse guère de place pour le doute.

LOUISE

Je ne suis pas de votre avis. Comment faire le départ entre la folie et l'exaltation? D'un autre côté, si le docteur décrète qu'il est fou, qu'il faut l'interner, que faire?

Mme de LÉRÉ

Bien sûr, c'est pénible.

(Silence).

LOUISE

Vous sortez?

Mme de LÉRÉ

Justement, je vais chercher le curé. J'ai pensé qu'il pouvait raisonner Hector, le persuader, le ramener à la sagesse.

LOUISE

Hélas! Mais vous avez raison, maman, il faut tout essayer.

Mme de LÉRÉ

J'y vais. Nous n'avons pas de temps à perdre.

(Mme de Léré sort. Louise, à pas lents, se dirige vers la porte de l'hôtel).

SCÈNE V

(Clérambard, l'air égaré, sort de l'hôtel, tenant sous son bras un volumineux paquet d'où pend la queue d'un chien. En apercevant Louise, il pousse un cri).

CLÉRAMBARD

Ah! c'est vous, Louise.

LOUISE, avec douceur.

Vous avez l'air désemparé. Auriez-vous un ennui?

CLÉRAMBARD

Non, rien. Je n'ai rien. Laissez-moi.

LOUISE

Ne voulez-vous pas vous confier, me faire partager vos soucis? Je voudrais tant vous aider! (*Après un silence, sur le ton de l'indignation*) : Hector! Oh! Hector, vous venez encore de tuer un chien!

CLÉRAMBARD

Non! Ce n'est pas vrai!

LOUISE

Pourquoi niez-vous? La queue de cette pauvre bête dépasse de votre paquet.

CLÉRAMBARD

C'est le chien du curé... Non, justement, ce n'est pas le chien du curé. Ah! je perds l'esprit.

LOUISE

Remettez-vous, mon pauvre Hector.

CLÉRAMBARD

Je viens de monter au grenier où je n'étais pas retourné depuis samedi et j'y ai trouvé le cadavre du chien que j'avais tué ce jour-là.

LOUISE

Ah! bon, bon... Mais alors...

CLÉRAMBARD

J'avais cru étrangler le chien du curé et c'était
un autre chien qui lui ressemblait... ou même qui
ne lui ressemblait pas...

LOUISE

En somme, contrairement à ce que vous pensiez,
il n'y a pas eu de miracle. *Elle dit ce qui est réel*

CLÉRAMBARD, furieux, il s'assied sur une marche de la
roulotte.

Fundamental elements of his personality are here.

Non, il n'y a pas eu de miracle! Vous voilà satis-
faite? Allons, dites-le! Ne vous gênez pas!

choisi les mots très distingués.

LOUISE

Hector, je comprends votre désarroi, mais la
vérité n'est-elle pas toujours un bien? Prenez-en
bravement votre parti : de ces soi-disant prodiges
sur lesquels vous avez fondé toutes vos erreurs, il
ne reste rien.

CLÉRAMBARD

Comment? Rien?

LOUISE

Mais non, rien. Vous pensez peut-être à l'appa-
rition de saint François? Du moment où elle n'est
plus cautionnée par le miracle du chien ressuscité,
il n'y a aucune raison d'y croire.

CLÉRAMBARD

Mais enfin, ce moine, je l'ai vu, je l'ai entendu.

LOUISE

Et après? Vous avez vu un moine qui vous a dit être saint François. Où est le prodige? C'était peut-être un voisin dont vous aviez tué le chat et qui a voulu vous donner une leçon. Ou bien c'était tout simplement une illusion.

CLÉRAMBARD, sortant un livre de sa poche, il se lève.

Et ce livre? Vie de saint François d'Assise... Editions du Ciel!

LOUISE

Je viens de voir le même dans la vitrine du libraire.

CLÉRAMBARD, avec violence.

Et la couverture portait la mention « Editions du Ciel »?

LOUISE

Parfaitement. Editions du Ciel.

CLÉRAMBARD, il se rassied sur une marche de la roulotte.

Ah! vous aviez raison. Il ne reste rien. (Rageur) : Rien! rien! rien!

LOUISE

Hector, je vous vois effondré, mais si vous saviez à quel danger vous venez d'échapper, vous auriez sûrement moins de regret.

CLÉRAMBARD

De quel danger parlez-vous?

LOUISE

J'ose à peine vous le dire... Quand vous avez parlé de miracle, personne n'y a cru.

CLÉRAMBARD

Parbleu! Je l'ai bien vu. Vous me preniez pour un fou.

Le doute

LOUISE

C'est vrai, Hector. Moi-même, je craignais pour votre raison, à tel point que j'ai fait prier un médecin de passer vous voir. Il sera là tout à l'heure. (*Long silence*). Mettez-vous à ma place, Hector. S'il n'y avait eu que cette histoire de miracle, je ne me serais pas alarmée aussi facilement. Mais il y avait ce mariage avec une fille publique. Il y avait la vente de ce vieil hôtel que nous nous sommes acharnés durant tant d'années à disputer aux créanciers. Enfin, le départ en roulotte au hasard des chemins, cette vie de mendiants et de prêcheurs à laquelle vous nous condamniez. A eux seuls, des projets aussi extravagants suffisaient à nous faire douter de votre raison. (*Silence*). Vous ne dites rien. M'en voulez-vous encore? (*Silence*).

CLÉRAMBARD

Mais ces projets, qui vous dit que j'y ai renoncé? Et pourquoi y renoncerais-je? Oui, pourquoi? Pouvez-vous me le dire?

La réaction

Remplit par ses idées.

LOUISE

Voyons, Hector, soyez logique. Puisqu'il n'y a
pas eu de miracle, il faut bien tirer les conséquences de la vérité.

Tous qui est materiel

CLÉRAMBARD

Les conséquences! Qu'est-ce que vous me chan-
tez là? Cette histoire de chien crevé n'a rien à
faire avec le mariage d'Octave.

il n'en veut plus   *Il en est marre*

LOUISE

Tout de même, je pense qu'à présent, vous ne
voyez plus la Langouste avec les mêmes yeux?

CLÉRAMBARD

Léonie reste pour moi ce qu'elle était tout à
l'heure, une admirable fille de joie aux vertus
éclatantes et qui nous honore tous en acceptant
d'épouser notre fils. Et ça, c'est un fait.

LOUISE

Hector! Ayez pitié de votre femme! C'est moi
qui finirai par être folle! Allez-vous me dire aussi
que vous persistez dans cet absurde projet d'emme-
ner votre famille dans une roulotte? Hector!

CLÉRAMBARD

Eh bien, oui, je persiste! Est-ce donc si surpre-
nant? Ai-je besoin d'un miracle pour aimer mon
prochain, pour le servir et pour l'aider à marcher
dans les voies du Seigneur? Est-ce que la foi n'y
suffit pas? Vous n'avez pas l'air de comprendre ce
que c'est que la foi.

*Il n'aimait que lui
même, respecté*

LOUISE

[explication]

Mais la foi, comment vous est-elle venue?

[Son — Intellectualism —]

CLÉRAMBARD *[refusé par Clérambard]*

Que voulez-vous que ça me fasse? J'ai la foi. Je ne veux rien savoir d'autre. Peu importe d'où elle me vient. Je crois en Dieu, je crois en Notre-Seigneur, je crois à saint François d'Assise. Je sais qu'à l'heure de la défaillance, ils ne m'abandonneront pas. Je sais qu'ils ne dédaignent pas de se pencher sur ce misérable cœur où j'essaie de retenir l'espérance, la foi et la charité. En trouvant ce chien au grenier, j'ai eu un moment d'égarement, j'ai douté. En vous écoutant parler, je me regardais glisser au plus noir de l'abîme, et tout à coup je me suis senti arrêté dans ma chute, je me suis senti soulevé, hissé vers la vérité et vers la lumière. A présent, je remercie Dieu qu'il n'y ait pas eu de miracle. Heureux ceux qui n'auront pas vu et qui auront cru! Le miracle, c'est qu'il n'y en ait pas eu et que ma foi s'en trouve affermie, exaltée. Ah! je voudrais déjà être parti!

[Il est en train de accusé Louise]

[Décision rapide et cathégorique]

LOUISE

Mon pauvre ami, vous oubliez qu'il faut compter avec les nécessités.

CLÉRAMBARD

Je vais enterrer ce malheureux chien derrière la maison.

(Il prend son paquet qu'il avait posé sur les marches de la roulotte).

LOUISE

Hector, ne voulez-vous pas comprendre mon anxiété?

CLÉRAMBARD

Louis, ma chère femme, ma bien-aimée femme, je me suis trop souvent montré dur avec vous. Votre vie s'est écoulée dans la pauvreté, dans la peine, auprès d'un mari orgueilleux, borné et violent.

LOUISE

Cette vie de peine, de pauvreté, nous l'avons partagée. Je ne voudrais pas en avoir vécu d'autre. Ce que vous appelez orgueil et violence, c'était votre courage, votre volonté de surmonter la mauvaise chance. Mais maintenant, Hector, maintenant!

CLÉRAMBARD

Vous avez beaucoup à me pardonner, Louise. Pourtant, je ne pense qu'à vous demander de nouveaux sacrifices. Et je vous aime tant que je n'en ai ni honte ni regret. Au contraire.

(Il s'éloigne vers le fond de la scène, entre la roulotte et l'hôtel. Tandis que Louise le suit, les trois filles Galuchon entrent par la droite).

LOUISE

S'il ne s'agissait que de moi, vous pensez bien que je ne m'inquiéterais guère...

(Clérambard et Louise disparaissent derrière la maison).

SCÈNE VI

(Les trois filles Galuchon s'arrêtent et regardent la roulotte. Entre Octave qui les épie, caché derrière un arbre).

ETIENNETTE

C'est la fameuse roulotte... La comtesse en par-lait tout à l'heure à papa.

BRIGITTE

Le comte est vraiment piqué.

(Les deux sœurs pouffent discrètement et, en compagnie d'Evelyne, s'approchent de la roulotte).

EVELYNE

Je ne vois pas ce qui vous fait rire. Cette idée de partir en roulotte, je la trouve extrêmement poétique. L'espace, la solitude, la nature...

BRIGITTE

Ah! non, je t'en prie, on n'est pas en visite. Ici, tu n'as personne à épater.

EVELYNE

Mais je n'ai envie d'épater personne.

BRIGITTE

Non? Alors tu t'entraînes.

(Brigitte et Etiennette éclatent de rire).

EVELYNE

Vous êtes deux pauvres idiotes.

OCTAVE, s'approchant des trois sœurs.

Bonjour. Agréable surprise. Deux jours sans vous voir, je commençais à languir.

EVELYNE

Ah! vicomte, bonjour. Nous attendons papa qui s'est arrêté sur la place chez un client. Il vient faire une visite à vos parents.

OCTAVE

Mes parents vont être charmés. (*S'adressant à Brigitte, la plus jolie des trois sœurs*). Pour ma part, je le suis déjà. Vous vous intéressez à la roulotte?

BRIGITTE

Bien sûr...

(Elle pouffe).

OCTAVE

Elle vous fait rire? (*Il s'approche de Brigitte*). Eh bien, riez, riez.

EVELYNE

Je disais justement à mes sœurs, combien je trouve poétique l'idée de s'en aller ainsi dans une roulotte.

OCTAVE

Je la trouve surtout saugrenue. Ça vous amuserait de voir l'intérieur?

EVELYNE

Mon Dieu...

BRIGITTE

Oh! oui!

OCTAVE

Comme la roulotte est très encombrée pour l'instant, je vous la ferai visiter chacune à votre tour. (*A Brigitte*). Venez.

(Octave et Brigitte montent dans la roulotte).

SCÈNE VII

(Evelyne et Etiennette restent côte à côte, le dos tourné à la roulotte).

ETIENNETTE

Je trouve qu'il aurait pu te faire monter la première.

EVELYNE

Mais non. Nous ne sommes pas encore fiancés officiellement. Il agit avec beaucoup de tact en faisant monter d'abord l'une de vous deux.

ETIENNETTE

Tu crois qu'il va t'embrasser, quand vous serez dans la roulotte?

EVELYNE

C'est possible. Comme je dois devenir sa femme, je le subirai.

ETIENNETTE

Tu veux dire que ça ne te fera pas plaisir.

EVELYNE

Oh! je n'éprouve aucune répulsion pour le vicomte. Mais j'en aime un autre.

ETIENNETTE

Non! Ça, par exemple... Mais qui est-ce?

EVELYNE

Un inconnu qui n'a de visage que pour moi... Un être sublime qui vit dans mes rêves et dans mes pensées. A la fois archange et démon, il est né de ma fièvre poétique...

ETIENNETTE

Tu te fiches de moi, dis?

(Un dragon entre à bicyclette et met pied à terre auprès des jeunes filles. Il est en petite tenue).

LE DRAGON

Je vous demande pardon. C'est bien ici la maison de monsieur Lamberget?

EVELYNE

Non. Vous êtes ici chez le comte de Clérambard.

LE DRAGON

Ah! dites donc... un comte... Si je comprends bien, c'est votre patron?

EVELYNE, sèchement.

Non. Nous n'avons pas de patron.

LE DRAGON

Oh! Excusez... Remarquez, ça aurait pu se faire. Il y a des bonniches aussi bien habillées que vous. Je dirais même... (*Silence*). Je vois par exemple chez le colonel... Il faut vous dire que je suis l'ordonnance du colonel... Vous avez peut-être entendu parler? Colonel de Séroleuse. Il y a chez lui une petite bonne... Elle s'appelle Anna. (*A Etiennette*). Tenez, elle vous ressemble un peu.

ETIENNETTE, riant.

Vraiment?

LE DRAGON

Parole... Une jolie frimousse comme la vôtre. Et roulée, ce que j'appelle roulée. Eh bien, n'est-ce pas, voilà une personne qui porte la toilette dans la divinité. (*Un silence*). Vous sortez le soir?

ETIENNETTE, riant.

Non.

LE DRAGON

Remarquez que dans la journée, j'ai bien des moments de liberté.

ETIENNETTE

Mais la petite bonne du colonel?

LE DRAGON

Elle est fière. Je dirais même qu'elle s'en croit
un peu. Entre nous, mais alors entre nous, je crois
que c'est monsieur Armand qui s'en occupe.

EVELYNE

Qui est monsieur Armand?

(Mᵉ Galuchon entre par la droite. En voyant ses filles avec
un dragon, il a un haut-le-corps).

LE DRAGON

Monsieur Armand, le fils du colonel. Tenez, pas
plus tard qu'hier, je les ai surpris dans un couloir
de la maison. Comme ça, il la tenait...

(Le dragon enlace Etiennette et l'embrasse. Elle se défend en
riant).

Mᵉ GALUCHON, il arrive en courant.

Hé là! militaire! Allez-vous lâcher cette jeune
fille!

LE DRAGON, lâchant Etiennette.

Vous êtes peut-être monsieur Lamberget?

Mᵉ GALUCHON

Non! Mais vous, vous êtes un voyou et un sacri-
pant, indigne de porter l'uniforme!

LE DRAGON

Qu'est-ce que c'est que ces boniments-là? Vous
êtes saoul?

M⁰ GALUCHON

Comment! Vous osez porter la main sur mes filles, et non content, vous m'insultez! Ça vous coûtera cher, mon garçon.

LE DRAGON

Fallait le dire tout de suite que c'étaient vos filles. Remarquez qu'on ne faisait rien de mal.

M⁰ GALUCHON

Au contraire, n'est-ce pas? Salaud! Allez, dé-campez!

LE DRAGON, enfourchant sa bécane.

Je n'ai pas de conseil à vous donner, mais vous avez tort de me traiter comme ça. Parce que, dites-vous bien une chose, c'est que je suis célibataire et que, dans le civil, j'ai un métier.

M⁰ GALUCHON

Fichez-moi le camp!

LE DRAGON, il s'éloigne à bicyclette.

Je reviendrai!

(Il sort).

M⁰ GALUCHON, à ses filles.

Qu'est-ce que c'est que cette histoire? Comment avez-vous connu ce dragon? Je veux tout savoir, de A jusqu'à Z, vous m'entendez? Vous aviez ren dez-vous, n'est-ce pas?

ETIENNETTE

Mais non. Il est venu nous demander un renseignement.

Mᵉ GALUCHON

Un prétexte.

ETIENNETTE

Il s'est mis à parler de son colonel, de la bonne de son colonel et il a essayé de m'embrasser. C'est tout.

Mᵉ GALUCHON

C'est tout? Ce n'est peut-être pas suffisant? Ainsi, on ne peut pas vous laisser seules un quart d'heure sans que tous les voyous de la ville soient aussitôt à vos jupes? Vous avez donc le vice dans la peau, toutes les trois?... Mais... où est Brigitte?

EVELYNE

Elle visite la roulotte avec le vicomte.

Mᵉ GALUCHON

Pourquoi n'êtes-vous pas avec eux?

EVELYNE

Le vicomte a expliqué que la roulotte était trop encombrée et qu'il ne pouvait nous faire monter qu'une par une.

Mᵉ GALUCHON

Ah! ça!

(Il court à l'escalier de la roulotte.)

SCÈNE VIII

(Louise et Clérambard apparaissent au fond de la scène, au coin de la maison, tandis que Mᵉ Galuchon monte dans la roulotte).

LOUISE

J'ai bien peur que la foi et la charité n'aient jamais chez moi cette ardeur et cette violence de la passion...

(Louise s'interrompt et regarde la roulotte).

VOIX de Mᵉ GALUCHON, venant de l'intérieur de la roulotte.

Misérable! Criminelle! Fille perdue! Elle n'a même pas pensé à son père! Ah! la chienne! Je voudrais l'avoir assommée, pendue, étranglée! Sortiras-tu? (*Bruit de gifles*). Idiote!... Et vous, crapule, vous aviez calculé votre affaire, n'est-ce pas? Vous êtes un vaurien et un suborneur!

(Brigitte descend de la roulotte en sanglotant).

CLÉRAMBARD

Mais qu'est-ce qui se passe?

(La tête d'Octave apparaît à la fenêtre de la roulotte. Il a un sourire ironique et satisfait).

Mᵉ GALUCHON, apparaissant au seuil de la roulotte.

Il se passe que votre fils vient de déshonorer ma cadette, là, dans la roulotte, et je peux même dire sous mes yeux.

LOUISE

Et vous n'avez rien fait pour l'en empêcher?

M⁰ GALUCHON

Mais je suis arrivé trop tard! Le déshonneur était consommé. Ah! je suis désespéré, je ne survivrai pas à ma honte. Si encore c'était Evelyne! Mais il a choisi la plus jolie. Naturellement.

CLÉRAMBARD

Octave! Allons, descendez de la roulotte et pressez-vous! (*Octave apparaît à l'entrée de la roulotte et descend les marches*). Ici, gredin, voyou, scélérat! Ainsi, vous avez trahi votre fiancée, vous avez osé lui faire cet affront? Mais vous êtes donc possédé du démon!

OCTAVE, baissant la tête.

Ah! punissez-moi, frappez-moi! Je suis un misérable. J'ai cédé à un malheureux entraînement et maintenant je suis dévoré de honte et de regrets. Je voudrais me battre moi-même. Tenez, je voudrais mourir.

LOUISE, à mi-voix.

Octave, ne jouez pas la comédie. C'est odieux.

CLÉRAMBARD

Allons, mon fils, il ne faut pas désespérer de la miséricorde divine. Puisque vous vous repentez

sincèrement, vos péchés vous seront remis. Et
Mᵉ Galuchon vous pardonnera aussi. (*A Mᵉ Galuchon, avec un sourire attendri*). Il se repent.

Mᵉ GALUCHON

Je me fiche de son repentir. Ce n'est pas ça qui
arrangera les choses.

OCTAVE

Oh! Je suis prêt à réparer.

Mᵉ GALUCHON

Naturellement. C'est commode.

LOUISE

Je ne pense pas qu'il y ait autre chose à faire.

CLÉRAMBARD

Moi non plus.

Mᵉ GALUCHON, rageur.

Bien sûr! (*A Octave*). Vous êtes content, hein?
Mais n'attendez pas que la dot soit aussi importante que celle qu'aurait eue Evelyne.

CLÉRAMBARD

La dot? Mais nous ne voulons pas un sou.
Octave et sa femme vivront avec nous dans la
roulotte et n'auront que faire d'une dot.

LOUISE

N'exagérons rien, Hector. Nous ne pouvons pas imposer à une enfant aussi jeune un genre d'existence dont elle souffrirait sûrement. Ce serait méconnaître l'importance des responsabilités d'Octave.

Mᵉ GALUCHON

Bien sûr qu'il ne peut pas être question de faire vivre ma fille dans une roulotte. Pourtant, elle le mériterait bien!

SCÈNE IX

(Les bras chargés d'objets hétéroclites, la Langouste débouche de l'hôtel).

LA LANGOUSTE

Vous voyez que dans votre grenier, il n'y a pas que des chiens crevés. (*En arrivant près de la roulotte, elle laisse tomber son fardeau*). Regardez ça : un manteau de cocher du temps de ma grand-mère, une lanterne, une bâche pour abriter le canasson un moule à gaufres pour les jours de fête, un collier de cheval, une gourde, un harmonica.

(Elle souffle dans l'harmonica).

CLÉRAMBARD

Ma chère enfant, j'ai à vous apprendre une pénible nouvelle.

LA LANGOUSTE

A moi?

CLÉRAMBARD

Pendant que vous étiez au grenier, Octave a trahi votre amour et votre confiance.

Mᵉ GALUCHON

Vous n'allez tout de même pas lui dire...

CLÉRAMBARD

Elle a le droit de tout savoir. Léonie, votre fiancé s'est laissé terrasser par le démon de la concupiscence. Il a commis le péché de chair avec cette jeune fille.

LA LANGOUSTE

Dites donc, mais il se dessale.

LOUISE, à Hector, en montrant Brigitte qui sanglote.

Vous voyez tout le chagrin qu'elle en a. Vraiment, vous auriez mieux fait de ne rien dire.

CLÉRAMBARD

Lui pardonnerez-vous un jour?

LA LANGOUSTE

Cette question! Moi, je ne cherche pas la petite bête. Un caprice comme ça, en passant, ce n'est pas ce qui engage la vie.

CLÉRAMBARD

Malheureusement si. Octave est tenu de réparer.

LA LANGOUSTE

Réparer quoi?

CLÉRAMBARD

Il a péché avec cette jeune fille. Il doit l'épouser.

LA LANGOUSTE

Dites donc, mais il a péché aussi avec moi.

CLÉRAMBARD

Comment? Octave vous a manqué de respect?

LA LANGOUSTE

Depuis dix ans qu'il attendait, il avait des excuses. N'empêche. J'ai la priorité.

LOUISE

Ce n'est pas la même chose. (*Montrant Brigitte*). Elle est si jeune. C'est une enfant.

LA LANGOUSTE, après un silence.

D'accord. (*A Octave*). Puisque c'est ça, tu me dois cent sous. Et tu as de la chance que je ne t'aimais pas pour de vrai, parce que j'aime mieux te dire que ça ne se passerait pas comme ça, que je t'aurais déjà filé une leçon de maintien. Mais pour la Langouste, des tocards comme toi, c'est de la petite espèce, c'est du moins que rien, du déchet... Quand même, si j'ai un conseil à te donner, c'est de ne pas rester là devant moi, mais d'aller ailleurs te faire voir et tout de suite. (*D'une voix dure*). T'as compris, tocard?

(Son visage et son attitude sont menaçants).

OCTAVE, qui prend le large.

C'est bon, je ne veux pas faire d'histoire.

LOUISE, à Me Galuchon.

Allons-nous-en. Nous avons à parler. Venez, jeunes filles.

(Tous entrent dans l'hôtel à la suite de Louise, sauf Clérambard et la Langouste qui restent seuls).

ETIENNETTE

Alors, nous, on ne la visite pas, la roulotte?

SCÈNE X

LA LANGOUSTE

Je n'ai plus rien à faire ici.

CLÉRAMBARD

Comment! Mais vous avez tout à faire. J'ai besoin de vous. Nous avons tous besoin de vous! Pensez que dans un quart d'heure, nous partons.

LA LANGOUSTE

Vous êtes gentil, mais je n'ai plus de raison de
partir avec vous.

CLÉRAMBARD

Octave ne méritait pas d'avoir une femme telle
que vous. N'y pensez donc plus.

LA LANGOUSTE

Si je pouvais... A vous, je peux bien le dire,
Octave, je l'aimais. Vous me direz, je ne suis
qu'une putain, vous n'aurez pas tort, mais je l'aimais quand même... Il y avait aussi l'idée du mariage qui me trottait par la tête, l'idée de faire
une fin pendant qu'il était encore temps.

CLÉRAMBARD

Ce que je vous propose, Léonie, ce n'est pas
une fin. C'est un commencement.

LA LANGOUSTE

Bien sûr, je ne dis pas... Remarquez que la
Vierge, les anges, le bon Dieu, je serais plutôt
pour. Mais je n'y crois guère...

CLÉRAMBARD

Ayez confiance. Vous avez découvert le petit
pauvre d'Assise. Vous découvrirez Dieu... (*Comme
la Langouste se baisse pour ramasser le manteau*

de cocher, il l'en empêche). Laissez. Je vais monter tout ça dans la roulotte.

(Tandis que Clérambard monte dans la roulotte, la Langouste s'essuie les yeux et s'en va pleurer derrière la roulotte. Entrent Mme de Léré et le curé du premier acte).

Mme de LÉRÉ

Octave prétend que c'est en lisant la vie de saint François d'Assise que lui sont venues ces idées bizarres.

LE CURÉ

Je suppose que le comte a été touché par la grâce. Évidemment, c'est ennuyeux.

Mme de LÉRÉ

Oh! monsieur le curé!

LE CURÉ

Je veux dire que s'il faut s'en féliciter pour lui-même, on doit admettre qu'il est en train d'en faire un mauvais usage pour les autres. La grâce ne dispose pas forcément à l'apostolat.

Mme de LÉRÉ

Si vous pouviez le remettre dans le bon chemin...

LE CURÉ

Vous me proposez une tâche difficile. Ce n'est pas une position avantageuse que d'avoir à combattre les bons sentiments dans le cœur d'un homme. Enfin, je ferai de mon mieux. (*Apercevant*

Clérambard qui descend de la roulotte). Ah! monsieur le Comte!

CLÉRAMBARD

Bonjour, Curé. Vous savez la nouvelle? Il se
prépare un orage d'amour qui va crever sur le
monde.

LE CURÉ

On m'a fait part de vos projets. Je vous avoue
qu'ils m'inquiètent. Faire vœu de pauvreté quand
on a la charge d'une famille ne me semble pas
un parti très sage. J'ose en effet vous rappeler que
vous vous trouvez dans une situation matérielle
des plus difficiles.

(Mme de Léré s'éloigne vers la gauche).

CLÉRAMBARD

Au contraire, elle est des plus faciles. Je suis
déjà pauvre et je ne rêve qu'à être plus pauvre
encore. J'ai hâte d'user mes vêtements, mes souliers,
d'être affamé et grelottant. Ah! n'avoir rien à soi!
être tout nu et crier sur les places : Venez à Jésus!
Venez à Dieu! Venez avec vos enfants! avec vos
femmes! avec vos amants! avec vos bestiaux! N'oubliez ni vos canaris, ni vos pékinois! Tous à Jésus!

(La Langouste monte dans la roulotte).

LE CURÉ

Votre zèle m'apparaît des plus respectables, mais
prenez garde d'être présomptueux. Rien ne vous
a préparé à la tâche que vous prétendez assumer.

Vous pouvez vous tromper et entraîner les autres dans l'erreur.

CLÉRAMBARD

Même si je reste fidèle, humblement fidèle à l'enseignement de l'Evangile?

LE CURÉ

Malheureux! Comment saurez-vous si vous lui êtes fidèle? L'Evangile est une nourriture qui a besoin d'être accommodée, comme toutes les nourritures. Et l'Eglise, seule, a compris la nécessité de protéger les fidèles contre la parole du Christ. Elle seule sait les retenir sur la pente des interprétations dangereuses.

CLÉRAMBARD

Je n'ai pas l'intention de me priver des lumières de l'Eglise.

LE CURÉ

Tant mieux. Mais l'Eglise se méfie des francs-tireurs et à juste titre. D'autre part, en ce qui concerne les miracles...

CLÉRAMBARD

Vous avez raison, je m'étais trompé. Il n'y a pas eu de miracle.

LE CURÉ

Ah! Vous n'y croyez plus!

CLÉRAMBARD

Non, pas à celui-là, mais je crois aux miracles passés et à venir, car il y en aura encore.

j'en suis sûr. Il y en aura jusqu'à la fin des temps. Et je ne désespère pas qu'un jour Dieu me favorise d'un miracle. Ce n'est pas que j'en aie besoin pour assurer ma foi. Je n'en suis plus là. Mais je voudrais pouvoir en témoigner à la face du monde! Ah! de quelle ardeur je témoignerais! Ce miracle-là, je le proclamerai d'un bout à l'autre de la terre, par les villes et par les campagnes! Et on m'entendra gueuler dans les rues et aux carrefours et sur les places! J'en étourdirai les passants, les hommes et les femmes, les curés aussi! Et pour ceux qui oseraient ricaner, je me charge de leur frotter les oreilles!

LE CURÉ

Vous ne changerez jamais. Ni la foi, ni la charité, ni François d'Assise n'y feront rien. Vous resterez l'homme violent, excessif, intransigeant, que vous avez toujours été. C'est ce qui me fait peur pour vous, monsieur le Comte. Qui sait si vous n'allez pas, dans un mouvement de charité inconsidéré, vous enflammer pour des idées soi-disant généreuses et, disons le mot, révolutionnaires?

CLÉRAMBARD

Pourquoi pas? Il y a tant d'injustice dans le monde!

LE CURÉ

J'en étais sûr! Vous voilà déjà parlant justice et injustice! Sachez-le, Notre-Seigneur lui-même ne fondait aucune espérance sur la justice de ce bas-monde. Ce n'est que dans l'au-delà que la veuve et l'orphelin peuvent compter sur Lui.

CLÉRAMBARD

Curé, vous êtes en train d'interpréter les Evangiles. (*Il se tourne vers la gauche*). Louise! Il est temps de nous préparer.

LE CURÉ

Monsieur le Comte, je crains bien qu'à votre insu, le démon de l'orgueil ne se dissimule déjà derrière vos bonnes intentions.

CLÉRAMBARD

Est-ce que Dieu, dans le cœur des hommes, ne réserve pas toujours la part du démon?... Ah! voilà le docteur... Cher docteur...

SCÈNE XI

(Le docteur, entrant par la droite, vient à Clérambard. Louise et Mᵉ Galuchon entrent par la gauche. Viendront ensuite Mme de Léré et les trois filles Galuchon, puis Octave, tandis que la Langouste descendra de la roulotte).

LE DOCTEUR

Bonjour, monsieur le Comte. Comment vous portez-vous?

CLÉRAMBARD

Bonjour, docteur. Je me porte bien. Je me porte même tout à fait bien.

LE DOCTEUR

Je vous trouve pourtant mauvaise mine, comme si vous étiez surmené.

CLÉRAMBARD

Je suis en effet surmené et plus encore que vous ne pensez.

LE DOCTEUR

Je suppose que les soucis ne vous manquent pas. On m'a dit que vous pensiez à marier votre fils?

(Le dragon cycliste entre par la gauche et met pied à terre près d'Octave).

CLÉRAMBARD

C'est-à-dire qu'il avait eu la chance de découvrir une femme exceptionnelle, un trésor d'humanité, qui couchait avec les soldats pour cent sous. (*Il soupire*). Cent sous! Ah! c'était bien la bru rêvée!

LE DOCTEUR

En effet!

CLÉRAMBARD

Vous êtes de mon avis, n'est-ce pas? J'en suis heureux, docteur. Et c'est aussi votre opinion que je suis un dément? Vous pensez qu'il faut qu'un homme soit hors de sens pour vouloir marier son fils à une prostituée, pour refuser la fortune et vouer sa famille à la mendicité? Eh bien, vous avez raison, docteur. Je suis fou... Oui, je suis fou d'espérance! Je suis fou d'amour! Je me sens brûler d'une tendresse insensée pour tout ce qui vit, pour tout ce qui souffre et qui frémit dans ce monde et dans l'autre! Il me semble que ma poitrine de brute n'est plus assez large pour contenir ce grand amour de Dieu et de ses créatures! D'avoir tant rêvé au petit pauvre d'Assise, la folie est entrée en moi! Je me suis donné à Jésus et je suis fou d'amour!

(Il est immobile, tourné vers la droite, et ses lèvres continuent à remuer).

LE DOCTEUR, à Louise.

Votre mari est très atteint : Mythomanie, perversion mentale, régression anormale de l'instinct de propriété, confusion des valeurs sociales... C'est très grave.

LOUISE

Non, docteur, vous vous trompez, vous ne comprenez rien au changement qui s'est opéré en lui dans ces derniers jours...

(Clérambard a un mouvement de stupeur).

CLÉRAMBARD, criant.

Regardez! Le petit pauvre d'Assise dans sa robe de sainteté! Deux anges se tiennent à ses côtés!

(Il tombe à genoux. — A l'exception du médecin et du curé, tous les assistants poussent un cri et tombent à genoux, les mains jointes).

LE DOCTEUR, au curé.

Qu'est-ce qui se passe? (*Souriant*). C'est une folie contagieuse.

(Il se retourne et à son tour tombe à genoux).

LE CURÉ

Mais je ne vois rien du tout... Et moi qui ai la vue basse, j'ai justement oublié mes lunettes... Au fait, tiens, c'est ce que je dirai à Monseigneur... que j'avais oublié mes lunettes. Excellente idée... Mais je me demande ce qu'ils peuvent bien voir.

(Cependant, on entend le bruit que font les sabots d'un cheval).

LE CURÉ

Je vais tout de même m'approcher... Je ne vois toujours rien.

(Le curé fait quelques pas en avant. Les assistants lèvent les yeux comme s'ils suivaient du regard une ascension).

CLÉRAMBARD

Adorable vision! Le plus doux des serviteurs de Dieu, le plus humble et le plus glorieux des pauvres bénissant notre roulotte de mendiants.

LE DRAGON

Vous avez vu les anges? Ils ont attelé le cheval à la roulotte.

LA LANGOUSTE

Et le cheval, il a mangé dans la main du petit pauvre d'Assise.

OCTAVE

Et le saint lui a caressé l'encolure.

LOUISE

A présent, tout est clair, tout est simple. Moi aussi, j'ai hâte d'être pauvre et de prêcher l'amour.

CLÉRAMBARD

Debout! Allons témoigner! (*Les assistants se lèvent et se dirigent vers la roulotte*). Pressez-vous. Si les anges ont eux-mêmes attelé le cheval, c'est qu'il nous faut partir sans tarder.

Mme de LÉRÉ

Gendre, vous êtes un être exquis.

(Louise monte dans la roulotte, puis les filles Galuchon et Mme de Léré. Comme Octave paraît hésitant, son père le pousse un peu rudement. Suivent le docteur et la Langouste).

LE DRAGON

Dites donc, mais je n'ai pas de permission, moi.

CLÉRAMBARD

Dieu y pourvoira!... Allons, vite, ne lambinons pas.

Mᵉ GALUCHON

Et ma femme?

CLÉRAMBARD

Nous la prendrons en passant.

(Tout le monde est monté, sauf Clérambard. A la fenêtre de la roulotte apparaissent les visages extatiques de Mme de Léré et du dragon. La Langouste, après avoir ôté l'escalier, s'assied à l'arrière, les pieds pendants. Louise est debout derrière elle. Clérambard s'en va vers le cheval).

LE CURÉ, demeuré à l'écart.

Singulier chargement. Un dragon, une fille publique, un avoué sans aveu, un docteur à moitié fou... Les emportements de la foi et de la charité, c'est très joli, mais je voudrais bien savoir ce que ce mélange-là aura donné dans un mois.

VOIX de CLÉRAMBARD, à l'avant.

Ioup! hue!

(La roulotte s'ébranle. Clérambard vient la pousser à l'arrière. Ramage d'oiseaux. La roulotte sort).

RIDEAU.

Dans la collection
Les Cahiers Rouges

IMPRIMÉ EN FRANCE PAR LA SOCIÉTÉ NOUVELLE FIRMIN-DIDOT

Première édition, dépôt légal : mars 1984
Nouveau tirage, dépôt légal : décembre 1987
Nº d'édition : 7490 – Nº d'impression : 8384
ISBN 2-246-10102-6
ISSN 0756-7170